COLLECTION
FOLIO THÉÂTRE

Georges Feydeau

Un fil à la patte

Édition présentée, établie et annotée
par Jean-Claude Yon
Professeur à l'Université
de Versailles Saint-Quentin-en-Yvelines

Gallimard

PRÉFACE

Créé en 1894 au Théâtre du Palais-Royal, repris dans la même salle et publié en 1899, Un fil à la patte *s'est imposé au cours du* XXe *siècle comme une des pièces les plus « efficaces » du répertoire de Georges Feydeau, gagnant ainsi ses galons de « classique » du vaudeville. La pièce rassemble en effet bien des éléments constitutifs du genre.*

Le vaudeville en 1894

Au début des années 1890, le vaudeville — présent sur scène depuis le XVIIIe *siècle — est dans une situation paradoxale, à la fois forte et fragile. Sa force tient à la place qu'il occupe sur les scènes parisiennes (l'essentiel du répertoire français étant créé dans la capitale). Dans la préface du volume des* Annales du théâtre et de la musique *consacré à l'année 1894, Francisque Sarcey, le célèbre critique dramatique du* Temps, *constate : « Le vaudeville continue à triom-*

pher sur les théâtres de genre, malgré les malédictions dont on l'accable dans les journaux, et le vaudeville à quiproquo, qui est déclaré le plus infâme de tous, est celui qui, lorsqu'il est traité d'une main experte, pousse le plus gaillardement jusqu'à la centième représentation[1]. » *Alors qu'en 1894 l'Opéra crée* Thaïs *de Massenet et fête la centième de* Lohengrin, *le vaudeville alimente une demi-douzaine de salles à Paris, sans compter les cafés-concerts où il est présent ni des incursions ponctuelles dans d'autres lieux. C'est deux fois plus que l'opérette ou le drame. Paradoxalement, le Théâtre du Vaudeville n'est plus son principal foyer : la comédie y domine et on y crée même cette année-là* Une maison de poupée, *avec Réjane dans le rôle de Nora. Le Gymnase partage les mêmes ambitions. La Renaissance est le temple de Sarah Bernhardt qui s'y fait admirer dans* Fédora *et* Gismonda *de Victorien Sardou. Les Variétés et le Palais-Royal, eux, jouent la carte du vaudeville, lequel domine encore plus franchement au Théâtre des Nouveautés, au Théâtre Cluny et au Théâtre Déjazet.*

Cette présence importante sur les affiches — encore plus marquée dans les théâtres des arrondissements périphériques de la capitale et dans ceux de province — ne saurait toutefois masquer un certain déclin. Le vaudeville, en premier lieu, apparaît comme le « pro-

1. Édouard Noël et Edmond Stoullig, *Les Annales du théâtre et de la musique*, 20e année, 1894, Paris, Charpentier et Fasquelle, pp. IX-X.

duit-type » de l'industrialisation de la vie théâtrale que dénonce l'avant-garde regroupée autour de figures comme André Antoine et Aurélien Lugné-Poe. Il est de même prohibé sur les scènes officielles où son manque de légitimité littéraire lui est fatal. En outre, le genre souffre d'une crise d'identité et oscille, ainsi que le rappelle Henry Gidel[1]*, entre deux formes assez éloignées : le vaudeville à tiroirs et le vaudeville structuré. Le premier type de pièces se caractérise par son architecture relâchée, les scènes étant autant de sketches plus ou moins reliés les uns aux autres. Cette structure très légère convient bien à un public qui fréquente les music-halls, les cafés-concerts et les cirques, dont les spectacles obéissent à la même logique. Le vaudeville à tiroirs est également proche de l'opérette dont l'extraordinaire expansion depuis le milieu des années 1850 représente une concurrence redoutable, certains critiques allant jusqu'à prédire la mort du vaudeville sous les coups de l'opérette. Celle-ci, en tout cas, a eu raison de ce qui constituait pourtant le trait distinctif du vaudeville, à savoir la présence de nombreux couplets chantés*[2]*. Les couplets ont disparu dès la fin du Second Empire, la promulgation de la liberté des théâtres en 1864 contribuant de surcroît à supprimer les distinctions de genre*

1. Henry Gidel, *Le Vaudeville*, Paris, PUF, coll. « Que sais-je ? », 1986, p. 74.

2. C'est même ce qui a donné son nom au genre, le terme « vaudeville » désignant primitivement des chansons populaires satiriques et continuant par la suite à désigner les couplets chantés dans une pièce.

qui différenciaient les théâtres de la capitale. Dès lors, le vaudeville cesse d'être un genre en partie musical, sauf dans certaines formes mixtes comme le « vaudeville-opérette » (par exemple Fleur de vertu, *créé au Théâtre des Bouffes-Parisiens en mai 1894). Au vaudeville à tiroirs, dont l'identité « vaudevillesque » tend à se dissoudre, s'oppose le vaudeville structuré dont le principal trait est la multiplication des quiproquos au sein d'une intrigue rigoureusement construite. Ce second type de pièces — qui a fini par être identifié avec le genre du vaudeville — reprend la tradition de la « pièce bien faite » élaborée par Eugène Scribe dès les années 1810. Cet art de la « charpente », c'est-à-dire de la construction dramatique, a été pratiqué à la suite de Scribe aussi bien par des auteurs de comédie (Dumas fils, Augier) que par des vaudevillistes (Labiche, Hennequin, Valabrègue). Victorien Sardou, particulièrement habile en la matière, a appliqué ce savoir-faire à tous les genres qu'il a pratiqués. Georges Feydeau s'inscrit dans ce second courant dont il deviendra le plus illustre représentant. Il faut toutefois noter qu'il use peu du terme « vaudeville », ce qui est sans doute l'indice d'une volonté de reconnaissance littéraire. Sur le manuscrit de censure comme dans le volume publié en 1899,* Un fil à la patte *est désigné comme une « comédie en trois actes ». Après* Le Mariage de Barillon *(1890), le mot « vaudeville » n'est plus utilisé par Feydeau que pour* Dormez, je le veux ! *(une pièce en un acte, créée à l'Eldorado en 1897) ; l'auteur de*

La Dame de chez Maxim *qualifie ses ouvrages de « comédie » ou tout simplement de « pièce ».*

Du neuf avec du vieux

Un fil à la patte *appartient donc au genre du « vaudeville à quiproquo », pour reprendre l'expression de Sarcey. L'intrigue est si dense qu'elle met à rude épreuve les critiques dramatiques dont l'une des obligations, au* XIXe *siècle, est de livrer à leurs lecteurs un résumé très détaillé de l'action. « Je me demande avec angoisse par quel procédé je pourrais bien vous donner une idée de la joyeuse comédie de M. Feydeau, se désole l'un d'eux. Rien n'est plus touffu, et cependant rien n'est plus clair que ce mélange de quiproquos, dont la vraisemblance n'est pas toujours la première qualité*[1]*. » En dépit de la difficulté, la plupart des critiques n'éludent pas l'exercice (ils n'ont guère le choix !) et certains parviennent même à être synthétiques, tel celui qui rédige ce résumé enlevé, publié avec la « chronique théâtrale » du dessinateur Stop dans* Le Journal amusant *:*

> Le jeune et beau Bois-d'Enghien, la veille de son contrat avec la gentille Viviane Duverger, a la fâcheuse idée d'aller dire un dernier adieu à Mlle Lucette, appétissante étoile de café-concert qu'il honorait de ses faveurs ; et le fil se renoue à

1. Édouard Noël et Edmond Stoullig, *op. cit.*, p. 321.

sa patte. Or, la baronne Duverger a engagé Lucette pour chanter à la soirée de son contrat. Celle-ci arrive, suivi de l'étonnant général Yrigua [*sic*], son adorateur, et de Bouzin, un malheureux clerc de notaire que le rastaquouère veut tuer, le croyant son rival. Lucette reconnaît son amant passé dans le futur, et s'arrange pour qu'on les surprenne ensemble dans le costume le plus léger… Le mariage est rompu. Il se recolle dans l'escalier de bois de Bois-d'Enghien. Que d'ascensions, que de dégringolades, que de quiproquos, que de changements d'habits ! Il y a un duo de *Mireille*, sur le palier, qui est tordant ! Bref, tout s'arrange, et Viviane, qui adore les mauvais sujets, épouse Bois-d'Enghien à la barbe de son ancienne[1].

Le mariage des protagonistes ne survenant qu'après la fin de la pièce, l'intrigue n'est pas basée, comme dans beaucoup de vaudevilles, sur l'adultère : Bois-d'Enghien ne cède pas à la tentation d'avoir une maîtresse mais cherche au contraire à rompre avec la sienne afin de pouvoir se marier selon les convenances bourgeoises. Toute la pièce repose sur le fait qu'il est tiraillé entre deux femmes : sa maîtresse Lucette Gautier et sa fiancée Viviane Duverger[2]*. À vrai dire, cette situation n'est*

1. *Le Journal amusant*, numéro du 27 janvier 1894, « Chronique théâtrale » par Stop.

2. Cette situation semble typique de Feydeau. On lit dans *Le Monde*, à propos d'une actualité très récente : « Il ne faudrait pas que Feydeau, caché dans un placard du palais [de l'Élysée], pointe son nez » (numéro du 1er septembre 2012, p. 17).

*guère originale et elle a déjà été bien souvent mise à la scène. Feydeau en fait l'expérience durant l'élaboration d'*Un fil à la patte, *un travail engagé dès 1890. En février 1891, le Théâtre des Menus-Plaisirs fait jouer* Une maîtresse de langues, *une comédie-vaudeville de Crisafulli et Carcenac : comme dans la future pièce de Feydeau, Suzanne s'enferme avec Théodore et fait croire que celui-ci a abusé d'elle. Alerté par son collaborateur et ami Maurice Desvallières, Feydeau voit ses craintes dissipées car la pièce quitte vite l'affiche. Mais une situation semblable est de nouveau portée à la scène par Albin Valabrègue dans* Le Premier Mari de France, *créé avec un grand succès aux Variétés en février 1893. Feydeau écrit à son confrère et ami pour lui demander de le couvrir contre d'éventuelles accusations de plagiat, ce que Valabrègue accepte*[1].

En dépit des craintes de Feydeau, le rapprochement avec Le Premier Mari de France *n'est pas fait par la presse lors de la création d'*Un fil à la patte. *Il est vrai qu'il ne s'agissait que d'une situation. Feydeau a surtout eu l'habileté de rajeunir une donnée éculée (comment rompre une liaison devenue encombrante ?) en la désignant par une expression familière qui, pour ses contemporains, fait immédiatement penser aux fils que les écoliers passent aux pattes des hannetons pour s'amuser*[2]. *L'expression — présente chez Zola et chez*

1. Cette lettre est citée dans Jacques Lorcey, *Georges Feydeau*, Paris, La Table Ronde, 1972, pp. 118-119.

2. *Un fil à la patte* a déjà servi de titre à un médiocre

Proust — est d'un usage courant et, en avril 1894, elle sert par exemple de titre à un article du Matin *consacré aux dysfonctionnements du conseil municipal de Paris. Dans la pièce du Palais-Royal, « par fil à la patte, entendez la chaîne au pied, le boulet traîné dans l'existence, le poids d'un collage [*sic*] dont il devient matériellement impossible de se défaire*[1] *». Ce que Feydeau nomme « fil à la patte », Scribe l'avait appelé un demi-siècle plus tôt « chaîne ». Créé en 1841 à la Comédie-Française,* Une chaîne *présente certes une situation différente puisque c'est avec une femme du monde que le héros, le jeune compositeur Emmeric d'Albret, doit rompre afin d'épouser sa cousine. Cependant, cette comédie — l'une des meilleures de Scribe et qui ne quitte le répertoire du Français qu'en 1916 — est encore assez connue en 1894 pour que Feydeau ne puisse faire autrement que l'évoquer à demi-mot :*

> BOIS D'ENGHIEN : [...] Ah ! vous avez cru [...] qu'il vous suffirait de revenir et de me dire : *Je t'aime !* pour qu'aussitôt tout fût oublié et que je reprisse ma chaîne ?
>
> LUCETTE, *passant au 1, avec amertume* : Sa chaîne ! [...] *(Sortie de Lucette et rentrée au moment où Bois-d'Enghien referme la porte.)* Mais réfléchis-y bien !
>
> BOIS D'ENGHIEN, *à part* : Oh ! Le fil à la patte !
>
> (III, 5)

vaudeville en un acte de Frédéric Vasselet créé en 1868 au Théâtre des Bouffes-Parisiens.

1. *Paris-Premières*, numéro du 24 mars 1894.

La proximité des deux expressions (c'est la seule fois où le titre de la pièce est prononcé) ne saurait être fortuite. Feydeau adresse un clin d'œil à Scribe[1]. *Labiche et Marc-Michel, dans* Mon Isménie ! *(1852), avaient agi de même, le bourgeois Vancouver demandant en aparté au public s'il a vu jouer* Geneviève ou la Jalousie paternelle *de Scribe qui traite du même sujet que la comédie dont il est le héros. Par cette discrète allusion à la comédie de Scribe, Feydeau admet tacitement que sa pièce fait écho à bien d'autres comédies et vaudevilles. Les articles parus lors de la création en 1894 mentionnent en effet un très grand nombre de pièces dont il se serait inspiré. Le thème du mariage contrecarré par une liaison est déjà — outre* Une chaîne *— à la base d'*Edgar et sa bonne *(1852) de Labiche et Marc-Michel et des* Femmes collantes *(1886) de Léon Gandillot; Cheneviette rappelle* Le Mari de la débutante *(1879) de Meilhac et Halévy; l'escalier du troisième acte est emprunté à* Tête de linotte *(1882) de Barrière et Gondinet; le déshabillage de Bouzin sous la menace d'un pistolet a déjà été vu, quatre mois plus tôt, dans un vaudeville-opérette de Jaime et Kéroul,* Les Colles des femmes, *aux Menus-Plaisirs. Quant au général Irrigua, il appar-*

1. Feydeau a affirmé dans un entretien publié en 1911 ne pas avoir lu Scribe mais, comme ses contemporains Wilde et Ibsen, et plus largement comme tous les auteurs dramatiques du XIXe siècle, il a forcément vu et lu le théâtre de Scribe.

tient, on le verra, à une longue lignée de rastaquouères aux origines géographiques diverses.

Qu'importent toutefois ces multiples emprunts dont la réalité reste d'ailleurs à établir. Feydeau fait sien ce qu'il trouve ici ou là, comme le constate avec finesse le critique de L'Intransigeant *: « S'il reprend des tours de prestidigitation vaudevillesque et des roueries théâtrales abandonnées depuis longtemps, c'est avec un bonheur extraordinaire et il les fond si bien dans sa prose, d'une couleur toute moderne, ils s'harmonisent et font si bien corps avec l'ensemble, qu'ils lui appartiennent vraiment comme le reste. En un mot, l'assimilation chez lui n'altère en rien son originalité et sa verve primesautière*[1]. » *Lorsque* Tête de linotte *est repris deux semaines après la création d'*Un fil à la patte, *Francisque Sarcey ne manque pas de remarquer le fameux escalier qui constitue, selon lui, « une de ces inventions pour lesquelles, dans l'ordre des sciences, on aurait pu prendre un brevet*[2] *». En revoyant la pièce de Barrière et Gondinet, Sarcey constate que Feydeau a utilisé l'escalier avec beaucoup plus d'invention que ses devanciers et il prédit, avec justesse : « L'escalier d'*Un fil à la patte *me paraît destiné à étouffer le souvenir de celui de* Tête de linotte. » *En 1911, dans la lettre qu'il envoie à un journaliste à l'occasion d'une*

1. *L'Intransigeant*, numéro du 11 janvier 1894, « Premières représentations » par Dom Blasius.

2. *Le Temps*, numéro du 22 janvier 1894, « Chronique théâtrale » par Francisque Sarcey.

reprise de sa pièce[1]*, Feydeau observe que le « soi-même ! » que répond le général Irrigua quand on le présente à un autre personnage est devenu une locution populaire, souvent reprise dans les pièces mettant en scène un personnage de rastaquouère. Du coup, quand la réplique est prononcée par le général Irrigua, le public peut avoir l'impression que Feydeau l'a volée à ses confrères, ce qui — un temps — lui avait donné envie de l'enlever de sa pièce. « Et puis, ma foi, j'ai dit non ! Non ! S'il fallait que je supprime de mes pièces tout ce qu'on en a pillé… ! » À l'occasion de la même reprise, un journaliste raconte s'être disputé, lors de la répétition générale, avec son voisin qui reprochait à Feydeau d'être un « pilleur d'épaves dramatiques ». Le journaliste le contredit en expliquant :*

> Effectivement, depuis quelque quinze ans que la présente pièce fut pour la première fois jouée au Palais-Royal, bien des auteurs dits dramatiques qui illustrèrent nos scènes parisiennes y puisèrent leur meilleure inspiration. C'est ainsi que se perpétue la tradition humoristique qui est plus ancienne qu'Aristophane, et l'on ne saurait s'en indigner. Deux ou trois fois seulement par siècle, le flot de cette tradition se grossit d'un affluent ; le reste du temps, c'est lui qui sert à irriguer un nombre considérable de potagers fertiles où d'ingénieux cultivateurs le

1. *Le Figaro*, numéro du 10 mai 1911, « Avant le *Fil à la patte* ».

répartissent au mieux de leurs intérêts et de la récolte finale[1].

Un fil à la patte *s'insère donc dans la lignée des pièces où Feydeau a peut-être trouvé son inspiration et de celles qui, plus sûrement, en ont imité tel ou tel aspect. Tout vaudeville est peu ou prou un palimpseste.*

Une pièce fin de siècle

Au moment où est créé Un fil à la patte, *la Troisième République traverse une période difficile, même si le ralliement des catholiques apaise les tensions religieuses de la décennie précédente. Le boulangisme puis le scandale de Panama*[2] *ont ébranlé le régime, la question sociale inquiète la bourgeoisie et les républicains progressistes au pouvoir sont confrontés à une vague d'attentats anarchistes : en décembre 1893, Auguste Vaillant jette une bombe à la Chambre et Sadi Carnot, le président de la République, est assassiné en juin 1894. Quelques mois plus tard, c'est le début de l'Affaire Dreyfus.* Un fil à la patte, *bien sûr, ne dit rien de cette actualité tendue mais la pièce, loin d'être une*

1. *Le Rire*, numéro du 20 septembre 1911, « Le rire au théâtre », article signé « Le Médecin de service ».
2. Ce scandale est évoqué par Fontanet quand il parle d'un député qui « touche des épingles » (I, 10).

pure mécanique comique détachée de tout contexte, apparaît comme profondément ancrée dans son époque. On peut même formuler l'hypothèse, certes gratuite, que son rythme haletant n'est pas totalement étranger aux tensions que connaît alors le pays. En tout cas, Feydeau — qui nie la hiérarchisation des genres — ne conçoit pas le vaudeville sans une part de comédie. Il est un remarquable observateur des réalités sociales. En 1904, il écrit : « Quand un vaudeville est bien fait, logique, logique surtout, qu'il s'enchaîne bien, qu'il contient de l'observation, que ses personnages ne sont pas uniquement des fantoches, que l'action est intéressante et les situations amusantes, il réussit[1]*. » Dans* Un fil à la patte, *la comédie et l'observation sont surtout présentes au premier acte, ce qui n'échappe pas à certains critiques. On lit ainsi dans* Le Petit Parisien *: « Le premier acte est le plus fin. Il contient même, dans sa fantaisie, des détails plaisamment observés sur l'existence intime d'une divette*[2]*. »* L'Univers illustré, *lui aussi, voit dans ce premier acte « un acte de fine comédie dans lequel les mœurs du demi-monde le plus moderne sont exposées avec une gaieté et un tact parfaits*[3] *». Demi-monde : le mot est lâché ! C'est Alexandre Dumas fils — d'ailleurs ami de Feydeau — qui l'a créé*

1. *Le Figaro,* numéro du 20 août 1904, lettre à Basset publiée dans le « Courrier des théâtres ».

2. *Le Petit Parisien,* numéro du 10 janvier 1894, « Les premières représentations » par « P. G. ».

3. *L'Univers illustré,* numéro du 20 janvier 1894, « Théâtres » par Fernand Bourgeat.

et l'a rendu populaire en 1855 en en faisant le titre d'une de ses comédies. Selon Dumas, il désigne les femmes déclassées et non les courtisanes : « Ce monde commence où l'épouse légale finit, et il finit où l'épouse vénale commence[1]. » *Si la distinction opérée par Dumas est vite oubliée par ses contemporains, elle aide à comprendre le statut de Lucette Gautier. Celle-ci, en effet, n'est pas uniquement une femme entretenue. C'est une chanteuse de café-concert, une artiste en vue, une « divette » qu'on invite à chanter dans les salons. Son bel appartement à l'ameublement élégant atteste que le chant lui assure des revenus très confortables. Quand Bouzin croit sa chanson refusée par Lucette, il veut la porter à Yvette Guilbert, ce qui est une façon de mettre les deux artistes sur le même plan. Or, en 1894, celle qu'on surnomme « la diseuse fin de siècle » est une immense vedette qui a déjà triomphé avec* Le Fiacre *et que Toulouse-Lautrec a peinte.*

Lucette Gautier n'est donc pas Marguerite Gautier. C'est sans doute en pensant à l'héroïne de La Dame aux Camélias[2] *que Feydeau a choisi le patronyme de son héroïne. Mais les temps ont changé. Lucette n'est pas une « dévoyée »* (traviata) *que son amant doit quitter pour éviter un scandale et que la société rejette. Elle est une femme émancipée qui paie une pension au*

1. Avant-propos au *Demi-monde* repris dans *Théâtre complet de Alexandre Dumas fils*, tome II, Paris, Calmann Lévy, 1876, p. 10.
2. Le roman de Dumas fils date de 1848 et la pièce qu'il en a tirée de 1852.

père de son enfant et qui, dans sa vie sentimentale, est bien plus guidée par l'amour-propre que par la passion. Si elle n'est pas à proprement parler une femme vénale, son appartenance au monde des cafés-concerts lui confère un parfum sulfureux qui suscite la curiosité et le désir. Le premier acte permet aux spectateurs de Feydeau de la découvrir dans son intimité, au saut du lit. Le salon où se déroule l'action donne directement sur sa chambre. Autour de la divette s'agite un petit monde bohème qui vit à ses crochets : sa sœur, à la fois souffre-douleur et dame de compagnie, son régisseur et ex-amant, divers amis. Inutile au déroulement de l'intrigue, la visite de Nini Galant a pour fonction de rappeler que le monde de la galanterie, dont Lucette est peut-être issue, n'est pas loin[1]*. Grâce à la visite de Bouzin, les spectateurs peuvent également découvrir les coulisses du café-concert, le clerc de notaire représentant le prolétariat littéraire et musical qui alimente sans relâche cette véritable « industrie culturelle » qu'est devenue la chanson à la Belle Époque. Paris compte alors plus de trois cents cafés-concerts et une chanson à succès peut se vendre à trois cent mille exemplaires, voire plus. Bouzin se vante d'être chanté à l'Alcazar, une célèbre salle de la rue du Faubourg Poissonnière. Les deux extraits de chanson dont il gratifie*

1. La promotion sociale de Nini, au reste, laisse sceptique : elle va certes devenir duchesse mais « de la Courtille », nom qui renvoie à la mythologie du plaisir parisien et qui n'a donc rien de respectable…

la baronne Duverger montrent à l'évidence qu'il s'est spécialisé dans le genre en vogue de la chanson inepte à sous-entendu grivois. Le chanteur Ouvrard, dans un ouvrage paru en 1894, définit l'ineptie comme une « chanson qui ne signifie rien, absolument rien, et qui laisse à la fin de ses couplets le spectateur aussi mal renseigné qu'au commencement de la première phrase[1] *». Dans ce genre particulier, le « littérateur » Bouzin ne manque pas de talent à l'évidence... même s'il est loin d'être un auteur reconnu. Poursuivant la description des mœurs du monde de la chanson, Feydeau n'oublie pas, au détour d'une réplique, de souligner l'attitude de Firmin, le domestique qui n'hésite pas à se présenter comme le conseiller artistique de sa maîtresse et qui prend un air protecteur vis-à-vis de Bouzin.*

À ce monde plus ou moins artistique, la pièce oppose l'univers bourgeois où évoluent Bois-d'Enghien et sa future belle famille. À vrai dire, il n'est pas facile de situer socialement Fernand de Bois-d'Enghien. Son nom semble le ranger parmi l'élite aristocratique mais sonne curieusement[2] *: « Bois » fait songer au bois de Boulogne où se retrouvent les jeunes gens à la mode et « Enghien » évoque plus la station thermale du nord de Paris (avec son casino et ses fêtes) que le prince de sang*

1. *La Vie au café-concert. Étude de mœurs par Ouvrard, de la Scala,* Paris, imprimerie Paul Schmidt, 1894, p. 247. La formule d'Ouvrard fait songer à la façon dont Bouzin définit l'effet de sa chanson « *Moi, j'piqu' des éping' !* » sur les jeunes filles (I, 8).

2. L'héroïne dans *Le Premier Mari de France,* une courtisane, a pour nom « Clémentine de Bois-Huppé »...

exécuté en 1804... Le fiancé de Viviane Duverger est un noceur avant d'être un bourgeois. Il est à l'aise aussi bien chez Lucette que chez les Duverger. Ceux-ci ont un statut social plus facile à déterminer : la baronne (dont le mari n'est jamais cité) possède un hôtel particulier, emploie une gouvernante anglaise pour éduquer sa fille et tout en elle révèle son appartenance à la meilleure société. Pour la signature du contrat de mariage, elle a prévu une soirée mondaine et elle n'a pas manqué de rendre cette cérémonie encore plus attractive en conviant Lucette à s'y produire. À Paris, il n'y a que dans les « grandes maisons[1] *» que le notaire se déplace dans la famille de la jeune fille en de telles circonstances. Ce jour-là, on expose la corbeille de mariage, envoyée le matin par le fiancé et enrichie par les cadeaux des invités. Le dîner se prolonge souvent par un bal, la soirée ayant été auparavant annoncée dans* Le Figaro, *le journal du monde élégant. Feydeau ayant situé très exactement l'action d'*Un fil à la patte *le 16 avril 1893*[2]*, on peut s'amuser à consulter* Le Figaro *du lendemain. On y lit dans la rubrique « À travers Paris » : « Tout le grand monde parisien s'était donné rendez-vous hier rue de Chaillot, chez M. et Mme Roussel, à l'occasion de la signature du contrat de mariage de leur fille, fiancée au comte Charles de*

1. C'est ce qu'indique la comtesse de Bassanville dans son *Code du cérémonial. Guide des gens du monde [...]*, Paris, Alfred Duquesne édit., 1888, p. 19.

2. « Ah ! je m'en souviendrai de la nuit du 16 avril 1893 ! » s'exclame Bois-d'Enghien de retour chez lui (III, 3).

Breteuil, lieutenant au 5e dragons. Un véritable éblouissement que la corbeille[1]*.* » *C'est à une soirée de ce type qu'aspire la baronne Duverger. Sa fille, il est vrai, est beaucoup moins attachée aux conventions bourgeoises. Si elle est totalement ignorante en amour, ce qui lui permet de tenir des propos à connotations scabreuses sans s'en rendre compte, elle entend bien n'obéir qu'à ses propres désirs et, de manière fort peu morale, elle rêve d'épouser un* « *mauvais sujet* ». « *Très fin de siècle, cette Viviane, et de la famille des Loulou-Paulette de Gyp*[2] », *note le critique du* Siècle *en évoquant les personnages de* « *jeunes filles modernes* » *créés par la comtesse de Martel dite Gyp dans ses nombreux romans. Viviane, à sa manière, est aussi typique de la Belle Époque que Lucette.*

Le monde bourgeois où évoluent Bois-d'Enghien, la baronne et sa fille est encore mis en scène à travers cet espace mi-privé mi-public qu'est la cage d'escalier du troisième acte. Depuis Jean, le domestique de Bois-d'Enghien, qui trouve peu moral que son maître ne soit pas rentré coucher chez lui après la signature de son contrat, jusqu'au concierge qui indique aux invités de la « *noce Brugnot* » *le deuxième étage au lieu du troisième car il s'agit d'un étage plus valorisant, tout dans*

1. *Le Figaro,* numéro du 17 mai 1893, « À travers Paris ». Ce mariage, toutefois, est encore plus brillant que celui de Bois-d'Enghien et Viviane qui appartiennent à un milieu un peu moins fortuné.

2. *Le Siècle,* numéro du 10 janvier 1894, « Premières représentations » par Camille Le Senne.

cet acte est conditionné par le respect des codes bourgeois et par la stricte séparation — matérialisée sur scène par un décor divisé en deux — entre ce qui est permis dans la sphère privée et ce qui est interdit dans la sphère publique. Ainsi, Bois-d'Enghien ne peut pas mieux signifier à Lucette la fin de leur liaison qu'en jetant par-dessus la rampe son peignoir et ses mules, accessoires intimes qui se retrouvent subitement exposés aux yeux de tous. De même, rien n'est plus répréhensible que de se montrer en sous-vêtements (« en maillotte » dit le général...) sur le palier. L'indignation de la « noce Brugnot », qui devrait pourtant avoir d'autres soucis en tête un tel jour, est si forte que la force publique est requise, ce qui provoque l'arrestation de Bouzin par deux agents de police. Non sans cruauté, Bois-d'Enghien ferme la porte de son appartement au nez du malheureux clerc, lui refusant l'asile qu'il aurait pu facilement lui procurer. Mais la baronne, Viviane et miss Betting étaient déjà entrées chez lui, ce qui signifiait la conclusion de son mariage, et Bois-d'Enghien n'a aucune envie de faire pénétrer « dans son monde » un personnage rendu infréquentable autant par sa position sociale subalterne (à l'étude de Me Lantery et au café-concert) que par son absence de pantalon et de veste. Bouzin a forcément tort puisqu'il n'est qu'un sans-grade.

Une désagrégation générale

*Si Feydeau observe la société avec un regard plein d'acuité, il n'en est pas moins avant tout vaudevilliste et la puissance comique d'*Un fil à la patte *tient à sa maîtrise exceptionnelle des mécanismes du vaudeville, lesquels semblent soumis dans la pièce à une pression de plus en plus forte tout en continuant malgré tout à fonctionner. L'audace du dramaturge est stupéfiante. Feydeau entremêle deux intrigues, de nature très différente. La pièce se donne pour but (son titre en fait foi) de raconter les péripéties par lesquelles Bois-d'Enghien doit passer pour rompre sa liaison avec Lucette, mais elle est tout autant structurée par les tentatives répétées de Bouzin pour échapper à la vindicte du général Irrigua. Alors que la première intrigue est traitée avec un certain art de la nuance, la deuxième repose avant tout sur des courses-poursuites très physiques. Le spectateur du XXIe siècle, ainsi, a presque l'impression d'être face à un film qui mêle des personnages joués par des acteurs en chair et en os et des personnages de dessin animé. Outre cette distorsion,* Un fil à la patte *présente la particularité de faire succéder à un deuxième acte rempli de péripéties, selon les règles de l'art, un troisième acte encore plus frénétique. La presse illustrée de 1894 ne s'y est pas trompée : Stop, dans* Le Journal amusant, *choisit de croquer les personnages rassemblés sur le fameux palier et si le dessinateur du* Monde illustré *montre à ses lecteurs Bois-d'Enghien et Lucette* *surpris chez la baronne, il incruste dans son dessin un médaillon représentant Bouzin forcé de se déshabiller. Ainsi que l'écrit Violaine Heyraud, « dans l'acte III, l'intrigue est maintenue artificiellement, prolongée comme pour le plaisir : Feydeau répète, crée du mouvement et fait revenir ses personnages presque gratuitement, pour finir sur un clou chanté*[1] *». Avec ce dernier acte, il « enraye de façon brutale et visible » — nous continuons à citer Violaine Heyraud — le mécanisme qu'il a perfectionné. Henry Gidel avait déjà observé que le troisième acte d'*Un fil à la patte *comprend soixante-quinze entrées et sorties, soit deux fois plus que dans les derniers actes de ses autres pièces*[2]*. Grâce à l'escalier, ce n'est plus seulement entre cour et jardin que les personnages se meuvent mais dans tout l'espace de la cage de scène, comme irrésistiblement attirés par les quatre points cardinaux. Toute la pièce, du reste, soumet leurs corps à rude épreuve, ce que relève le « soiriste » du* Gaulois *:*

> Jamais auteur, en effet, n'a contraint des hommes, qui ne sont pas nés clowns, à une pareille gymnastique. […] Un statisticien de mes amis a

1. Violaine Heyraud, *Répétition et mécanisme chez Feydeau (1880-1916). Comédie, psyché, langage,* thèse d'Études théâtrales, Université de Paris Ouest-Nanterre La Défense, 2009, p. 271. Cette thèse a fait l'objet d'une publication sous le titre *Feydeau, la machine à vertiges,* Paris, Classiques Garnier, 2012.
2. Henry Gidel, *Le Théâtre de Georges Feydeau,* Paris, Klincksieck, 1979, p. 155.

> calculé que, pendant ces trois actes, les artistes des deux sexes réunis n'avaient pas fourni [*sic*] moins de quatre-vingt-quatre kilomètres. Et sans bicyclette, encore ! Et il ne s'agit pas seulement de marcher ou de courir sur un terrain plat ; il faut sauter à pieds joints par-dessus les chaises, se rouler sur les canapés, se précipiter dans les armoires, monter et descendre les étages au galop, à quatre pattes ou ventre à terre. [...] Et tous agitent, en guise de tambours de basque, les nombreux numéros du *Figaro* dont la pièce est toute entière émaillée. On croit voir une illustration de la célèbre ballade de Bürger[1].

Comme Lénore entraînée dans une chevauchée macabre, les personnages de Feydeau sont condamnés à une agitation perpétuelle qui menace de les désarticuler. En cela, Bouzin est le vrai héros de la pièce, lui dont le corps est en permanence tiraillé. Même quand Lucette et ses proches veulent être aimables avec lui, il ne sait « où se mettre » car on lui apporte pas moins de quatre chaises (I, 11) ! Le général ne cesse de le secouer « comme un prunier » (I, 19) et la pièce s'achève sur la vision du pauvre clerc de notaire résistant aux agents de police qui l'entraînent manu militari.

Toutefois, cette désagrégation des corps n'est pas la plus poussée dans la pièce. Le langage est encore plus maltraité. Personne ne parle la même langue dans Un

1. *Le Gaulois*, numéro du 10 janvier 1894, « La soirée parisienne » par Frimousse.

fil à la patte *et, la plupart du temps, les mots servent avant tout à mentir pour se protéger. Toute l'action tourne autour des quelques phrases que Bois-d'Enghien doit prononcer afin de signifier à Lucette leur rupture, sans parvenir à les dire. Dès sa première apparition, il en est réduit à pratiquer l'aparté puisque ce n'est qu'en se parlant à lui-même qu'il est capable de sincérité (« Allons, ça va bien ! Ça va très bien ! », I, 4). La chasse aux exemplaires du* Figaro *symbolise le danger potentiel que représente le langage, à l'oral comme à l'écrit. Il faut que Bois-d'Enghien ait subi toutes les péripéties et les humiliations du deuxième acte et qu'il ait été profondément blessé dans son amour-propre pour qu'il se décide enfin à parler franchement à Lucette (III, 5). Pourtant, ses talents de beau parleur sont avérés. L'aplomb avec lequel il se fait passer pour un parangon de vertu*[1] *auprès de la baronne et de Viviane (II, 3) ou encore sa rapidité à inventer un restaurant « Ladivette » pour parer à une bourde de Fontanet (II, 4) témoignent du cynisme et de l'habileté avec lesquels il manie le langage. Chez la baronne, quand il comprend que l'argument du courant d'air n'a pas les effets escomptés, c'est à une astuce purement verbale qu'il a recours, à savoir prohiber les termes « gendre, futur ou fiancé ». Lucette partage avec son amant cet art de la manipulation verbale. Qu'elle évoque une promenade à la campagne pour tendre un piège ou qu'elle menace*

1. Il est pourtant trahi par ses propres paroles : l'évocation de l'évêque Cauchon révèle sa véritable nature…

de se suicider, elle agit en comédienne consommée (« cabotine ! », lui lance d'ailleurs avec mépris Bois-d'Enghien). La variation des jugements sur la chanson de Bouzin, tour à tour « stupide » et « charmante », est une autre illustration de cette omniprésence de la langue de bois dans la pièce.

Cependant, Feydeau va encore plus loin. Non seulement ses personnages mentent ou débitent des banalités mais leurs voix superposées participent au chaos et à la cacophonie. Avec miss Betting et le général Irrigua, l'anglais et l'espagnol se mêlent au français pour rendre la compréhension mutuelle encore moins facile. Miss Betting, enfermée dans sa langue natale, ne remplit pas son rôle de gouvernante, au grand dam de la baronne (« Avec son anglais, il n'y a pas moyen de l'attraper ! », III, 8). Ne cherchant pas à parler français[1], elle a beaucoup moins d'importance que le général Irrigua qui prétend même faire de l'esprit en français. N'a-t-il pas enseigné le français en Amérique du Sud ? Il est vrai qu'il remarque lui-même avec perplexité : « Dans moun pays, yo le parlais bienn ; ici, yo ne sais porqué, yo le parlé mal » (I, 16). Depuis Meilhac et Halévy (Le Brésilien, 1863 ; La Vie parisienne, 1866), le rastaquouère fait partie du répertoire comique parisien. On le retrouve aussi bien dans le vaudeville (Doit-on le dire ? de Labiche et Duru en 1872) que

1. Le français maladroit des Anglais est cependant un ressort comique très utilisé par les dramaturges depuis *Les Anglaises pour rire* (1814), une comédie de Sewrin et Dumersan.

*dans l'opérette (*Miss Dollar *de Clairville, Vallin et André Messager en 1893), tant dans sa version nord-américaine que sud-américaine. Au milieu de cette galerie d'étrangers excentriques aux mœurs brutales, le général Irrigua tranche par son rapport particulier à la langue. Tous les rastaquouères écorchent le français mais Irrigua seul est accompagné d'un aide de camp interprète qui est censé lui permettre une maîtrise parfaite de la langue. Le soutien d'Antonio est toutefois inutile :* subyugar *ne se transforme qu'en « souchouqué »,* tabernáculo *qu'en « taberlac » et Antonio a bien du mal à traduire en espagnol le mot « bâcatil ». Au troisième acte, le différend avec Bois-d'Enghien quant à la prononciation de « sceptique » et de « scandale » tend à prouver que les langues n'obéissent à aucune logique. Le général peut bien martyriser le français : que l'on parle son charabia ou le français le plus pur, le langage n'évite ni les incompréhensions ni les quiproquos. Au contraire, il contribue à l'absurdité de cet univers disloqué. La musique seule pourrait peut-être ramener une certaine harmonie. Bien des protagonistes ont un lien avec elle : Lucette est chanteuse, Bouzin écrit des chansons*[1]*, Bois-d'Enghien est pris pour un ténor par le général et Viviane suit des leçons de chant. Malgré ces liens multiples, la musique n'est*

1. Outre que les extraits de ses chansons montrent que Bouzin maltraite la langue presque autant que le général, son nom même, synonyme de cabaret mal famé et de vacarme, l'éloigne de la sphère musicale !

présente qu'au dénouement de la pièce. C'est sur deux airs de Mireille *et un air de café-concert (*En revenant de la revue*) que Bois-d'Enghien et Viviane renouent leur mariage. Pour être enfin sincères, les mots doivent être chantés. Par ce moyen, Feydeau prouve qu'il connaît ses classiques (*Le Malade imaginaire, Le Bourgeois gentilhomme, Le Barbier de Séville...*) tout en réintroduisant les couplets chantés dans le vaudeville, comme un hommage à l'histoire du genre. Un instant, la musique suspend donc le rythme frénétique de ce dernier acte. Mais la réapparition finale de Bouzin gesticulant et en sous-vêtements rompt cette harmonie fugace. C'est bien sur un couac que se termine* Un fil à la patte *— discordance bien représentative du monde en voie de désagrégation que la pièce met en scène.*

JEAN-CLAUDE YON

Un fil à la patte

COMÉDIE EN TROIS ACTES

Représentée pour la première fois
à Paris, le 9 janvier 1894
sur le Théâtre du Palais-Royal.

PERSONNAGES

BOUZIN	MM. Saint-Germain
LE GÉNÉRAL	Milher
BOIS-D'ENGHIEN	Raimond
LANTERY	Luguet
CHENNEVIETTE	Dubosc
FONTANET	Didier
ANTONIO	Garon
JEAN	Colombet
FIRMIN	Bellot
LE CONCIERGE	Liesse
UN MONSIEUR	Parisot
ÉMILE	Garnier
LUCETTE	Mmes J. Cheirel
LA BARONNE	Frank-Mel
VIVIANE	B. Doriel
MARCELINE	Bode
NINI	Medal
MISS BETTING	Dalville
UNE DAME	Bilhaut

DOMESTIQUES (*hommes et femmes*), UNE NOCE, DEUX AGENTS.

ACTE PREMIER

Un salon chez Lucette Gautier. Ameublement élégant. La pièce est à pan coupé du côté gauche ; à angle droit du côté droit ; à gauche, deuxième plan, porte donnant sur la chambre à coucher de Lucette. Au fond, face au public, deux portes ; celle de gauche, presque au milieu, donnant sur la salle à manger (elle s'ouvre intérieurement) ; celle de droite ouvrant sur l'antichambre. Au fond de l'antichambre, un porte-manteau. Au fond de la salle à manger, un buffet chargé de vaisselle. Dans le pan coupé de gauche, une cheminée avec sa glace et sa garniture. À droite, deuxième plan, autre porte. (Toutes ces portes sont à deux battants.) À droite, premier plan, un piano adossé au mur, avec son tabouret. À gauche, premier plan, une console surmontée d'un vase. À droite près du piano, mais suffisamment éloigné de lui pour permettre de passer entre ces deux meubles, un canapé de biais, presque perpendiculairement à la scène et le dos tourné au piano. À droite du canapé, c'est-à-dire au bout le plus rapproché du spectateur, un petit guéridon. À l'autre bout du canapé, une chaise volante. À gauche de la scène, peu éloignée de la console, et côté droit face au public, une table rectangulaire de moyenne grandeur ; chaise à droite, à gauche et au-dessus de la table. Devant la cheminée, un pouf ou un tabouret ; à gauche de la cheminée et adossée au mur, une chaise. Entre les deux portes du fond, un petit chiffonnier. Bibelots un peu partout, vases sur la cheminée, etc. ; tableaux aux murs ; sur la table de gauche, un Figaro *plié*[1].

SCÈNE PREMIÈRE

FIRMIN, MARCELINE

Au lever du rideau, Marceline est debout, à la cheminée sur laquelle elle s'appuie de son bras droit, en tambourinant du bout des doigts comme une personne qui s'agace d'attendre ; pendant ce temps, dans le fond, Firmin, qui a achevé de mettre le couvert, regarde l'heure à sa montre et a un geste qui signifie : « Il serait pourtant bien temps de se mettre à table. »

MARCELINE, *allant s'asseoir sur le canapé* : Non, écoutez, Firmin, si vous ne servez pas, moi je tombe !

FIRMIN, *descendant à elle* : Mais, Mademoiselle, je ne peux pas servir tant que Madame n'est pas sortie de sa chambre.

MARCELINE, *maussade* : Oh ! bien, elle est

ennuyeuse, ma sœur ! vraiment, moi qui la félicitais hier,... qui lui disais : « Enfin, ma pauvre Lucette, si ton amant t'a quittée... si ça t'a fait beaucoup de chagrin, au moins, depuis ce temps-là, tu te lèves de bonne heure, et on peut déjeuner à midi ! » C'était bien la peine de la complimenter.

FIRMIN : Qui sait ? madame a peut-être trouvé un successeur à M. de Bois-d'Enghien !

MARCELINE, *avec conviction* : Ma sœur !... Oh ! non ! elle n'est pas capable de faire ça !... Elle a la nature de mon père ! c'est une femme de principes ! si elle avait dû le faire, *(changeant de ton)* je le saurais au moins depuis deux jours.

FIRMIN, *persuadé par cet argument* : Ah ! alors !...

MARCELINE, *se levant* : Et puis, quand cela serait ! ce ne serait pas encore une raison pour ne pas être debout à midi et quart !... Je comprends très bien que l'amour vous fasse oublier l'heure !... *(Minaudant.)* Je ne sais pas... je ne connais pas la chose !

FIRMIN : Ah ?

MARCELINE : Non.

FIRMIN : Ah ! ça vaut la peine !

MARCELINE, *avec un soupir* : Qu'est-ce que vous voulez, je n'ai jamais été mariée, moi ! Vous comprenez, la sœur d'une chanteuse de café-concert !... est-ce qu'on épouse la sœur d'une chanteuse de café-concert[1] ?... N'importe, il me semble que, si toquée soit-on d'un homme, on peut bien, à midi !… Enfin, regardez les coqs… est-ce qu'ils ne sont pas debout à quatre heures du matin ?… Eh ! bien alors !

Elle se rassied sur le canapé.

FIRMIN : C'est très juste !

Lucette entre précipitamment de gauche. Firmin remonte au fond.

SCÈNE II

LES MÊMES, LUCETTE,
sortant de sa chambre.

LUCETTE : Ah ! Marceline !…

MARCELINE, *assise, ouvrant de grands bras* : Eh ! arrive donc, toi !

LUCETTE (1) [1] : De l'antipyrine [2] ! vite un cachet !

MARCELINE, (2) *se levant* : Un cachet, pourquoi ? Tu es malade ?

LUCETTE, *radieuse* : Moi ! oh ! non, moi je suis bien heureuse ! Non ! pour lui ! il a la migraine !

Elle s'assied à droite de la table.

MARCELINE : Qui, lui ?

LUCETTE, *même jeu* : Fernand ! il est revenu !

MARCELINE : M. de Bois-d'Enghien ! non ?

LUCETTE : Si !

MARCELINE, *à Firmin, tout en remontant au chiffonnier dont elle ouvre un tiroir* : Ah ! Firmin, M. de Bois-d'Enghien qui est revenu !

FIRMIN, *une assiette qu'il essuie, à la main, descendant à Lucette* : M. de Bois-d'Enghien, pas possible ! ah ! bien, j'espère, Madame doit être contente ?

LUCETTE (1), *se levant* : Si je suis contente, oh ! vous le pensez ! *(Firmin remonte.) (À Marceline qui redescend avec une petite boîte à la main.)* Tu juges de mon émotion quand je l'ai vu revenir hier au soir ! *(Prenant l'antipyrine que lui remet Marceline.)* Merci ! *(Changeant de ton.)* Figure-toi, le pauvre garçon, pendant que je l'accusais, il avait une syncope qui lui a duré quinze jours !

Elle descend à gauche.

MARCELINE : Non ?... oh ! c'est affreux !

Elle remonte un peu à droite.

LUCETTE, *remontant entre la table et la console* : Oh ! ne m'en parle pas ! s'il n'en était pas revenu, le pauvre chéri... il est si beau ! *(À Firmin qui est occupé dans la salle à manger.)* Vous avez remarqué, n'est-ce pas, Firmin ?

FIRMIN, *qui n'est pas du tout à la conversation, redescend un peu* : Quoi donc, Madame ?

LUCETTE : Comme il est beau, M. de Bois-d'Enghien !

FIRMIN, *sans conviction* : Ah ! oui.

LUCETTE, *avec expansion* : Ah ! je l'adore !

VOIX DE BOIS-D'ENGHIEN : Lucette !

LUCETTE : Tiens, c'est lui !… c'est lui qui m'appelle. *(À Marceline.)* Tu reconnais sa voix ?

Elle remonte.

MARCELINE : Si je la reconnais !

LUCETTE, *sur le pas de la porte de gauche* : Voilà, mon chéri !

MARCELINE, *remontant dans la direction de la chambre* : On peut le voir ?

LUCETTE : Oui… oui… *(Sur le pas de la porte, parlant à la cantonade à Bois-d'Enghien.)* C'est Marceline qui vient te dire bonjour !

VOIX DE BOIS-D'ENGHIEN : Ah ! bonjour, Marceline !

MARCELINE, *devant la cheminée* : Bonjour, Monsieur Fernand !

FIRMIN, *derrière Marceline* : Ça va bien, Monsieur Fernand ?

VOIX DE BOIS-D'ENGHIEN : C'est vous, Firmin ?… Mais pas mal… un peu de migraine seulement.

MARCELINE ET FIRMIN : Ah ! tant pis ! tant pis !

LUCETTE, *entrant dans la chambre* : Allons, apprête-toi, parce que l'on va déjeuner.

Elle disparaît. On sonne.

MARCELINE : Tiens, on sonne !

FIRMIN, *il sort par la porte du fond droit* : Je vais ouvrir !

MARCELINE, *redescendant* : Non, ils me feront mourir d'inanition !

SCÈNE III

LES MÊMES, DE CHENNEVIETTE

FIRMIN, *du fond, à Marceline* : C'est M. de Chenneviette ! *(À Chenneviette, descendant avec lui.)* Et Monsieur vient déjeuner ?

DE CHENNEVIETTE : Oui, Firmin, oui.

FIRMIN, *à part, avec un léger sardonisme* : Naturellement !

DE CHENNEVIETTE, *sans aller à elle* : Bonjour, Marceline.

MARCELINE, *maussade* : Bonjour.

FIRMIN (2) : Et Monsieur ne sait pas la nouvelle ?... Il est revenu !

DE CHENNEVIETTE (3) : Qui ?

MARCELINE (1) : M. de Bois-d'Enghien !

DE CHENNEVIETTE : Non ?

FIRMIN : Hier soir ! parfaitement !

DE CHENNEVIETTE, *haussant les épaules* : C'est à se tordre.

FIRMIN : N'est-ce pas, Monsieur ! Mais je vais dire à Madame que Monsieur est là.

DE CHENNEVIETTE : Quel tas de girouettes !

FIRMIN, *frappant à la porte de Lucette, pendant que Marceline va causer avec Chenneviette* : Madame !

VOIX DE LUCETTE : Quoi ?

FIRMIN : C'est Monsieur !

VOIX DE LUCETTE : Monsieur qui ?

FIRMIN, *d'une traite comme il ferait une annonce* : Monsieur le père de l'enfant de Madame.

VOIX DE LUCETTE : Ah ! bon, je viens !

FIRMIN, *à Chenneviette, sans descendre* : Madame vient.

DE CHENNEVIETTE : Bon, merci ! *(Firmin remonte dans la salle à manger, à Marceline.)* Comment, il est revenu ? Et naturellement ça a repiqué de plus belle !

MARCELINE : Dame !... *(Indiquant d'un clignement d'œil significatif la chambre à coucher de Lucette.)* Ça m'en a tout l'air !

DE CHENNEVIETTE, *s'asseyant sur le canapé* : Ah ! ma pauvre Lucette, quand elle cessera d'être une femme à toquades... ! Mon Dieu, son Bois-d'Enghien, c'est un charmant garçon, je n'y contredis pas, mais enfin, quoi ? ce n'est pas une situation pour elle... il n'a plus le sou[1] !

MARCELINE (2) : Oui, oh ! je sais bien !... mais ça, Lucette vous le dira. *(Confidentiellement.)* Il paraît que quand on aime, eh bien ! un garçon qui n'a plus le sou, c'est encore meilleur !

DE CHENNEVIETTE (1), *railleur* : Ah ?

MARCELINE, *vivement* : Moi, je ne sais pas, je suis jeune fille.

Elle s'assied à droite de la table.

DE CHENNEVIETTE, *s'inclinant d'un air moqueur* : C'est évident ! *(Revenant à son idée.)* Eh bien ! et le rastaquouère, alors ?

MARCELINE : Qui ? le général Irrigua ? Dame, il me paraît remis aux calendes grecques !

DE CHENNEVIETTE, *se levant* : C'est malin ! Elle a la chance de trouver un homme colossalement riche… qui se consume d'amour pour elle ! un général ! je sais bien qu'il est d'un pays où tout le monde est général. Mais ça n'est pas une raison !…

MARCELINE, *surenchérissant, — elle se lève* : Et d'un galant ! avant-hier, au café-concert, quand il a su que j'étais la sœur de ma sœur, il s'est fait présenter à moi et il m'a comblée de bonbons !

DE CHENNEVIETTE : Vous voyez donc bien !… Enfin, hier, elle était raisonnable ; c'était définitivement fini avec Bois-d'Enghien, elle avait consenti à répondre au millionnaire, pour lui fixer une entrevue pour aujourd'hui, et alors… parce que ce joli cœur est revenu, quoi ? ça va en rester là ?

MARCELINE : Ma foi, ça m'en a tout l'air !

DE CHENNEVIETTE : C'est ridicule !… enfin, ça la regarde !

Il gagne la droite. On sonne.

MARCELINE : Qui est-ce qui vient là, encore ?

SCÈNE IV

LES MÊMES, FIRMIN, NINI GALANT, *puis* LUCETTE, *puis* BOIS-D'ENGHIEN

FIRMIN : Entrez, Mademoiselle.

TOUS : Nini Galant !

NINI, *du fond* : Moi-même ! ça va bien tout le monde ?

Elle dépose son en-tout-cas contre le canapé près de la chaise et descend.

MARCELINE (1) ET CHENNEVIETTE (4) : Mais pas mal.

FIRMIN (2) : Et Mademoiselle sait la nouvelle ?

NINI (3) : Non, quoi donc ?

TOUS : Il est revenu !

NINI : Qui ?

TOUS : M. de Bois-d'Enghien.

NINI : Non ? Pas possible ?

LUCETTE, *sortant de la chambre et allant serrer la main successivement à Nini et à Chenneviette, elle se trouve placée entre eux deux. Firmin remonte* : Tiens, Nini ! *(À Chenneviette.)* Bonjour, Gontran… Ah ! mes amis, vous savez la nouvelle ?

NINI : Oui, c'est ce qu'on me dit : ton Fernand est revenu !

LUCETTE : Oui, hein ! crois-tu ? ma chère !

NINI : Ah ! je suis bien contente pour toi ! Et... il est là ?

LUCETTE : Mais oui, attends, je vais l'appeler... *(Allant à la porte de gauche et appelant.)* Fernand, c'est Nini... Quoi ?... Oh ! bien ! c'est bon ! viens comme ça, on te connaît ! *(Aux autres.)* Le voici !

Tout le monde se range en ligne de façon à former la haie à l'entrée de Bois-d'Enghien. Bois-d'Enghien paraît enveloppé dans un grand peignoir rayé, serré par une cordelière à la taille. Il tient à la main une brosse avec laquelle il achève de se coiffer, il passe au-dessus de la table et gagne le centre entre Firmin et Lucette.

TOUS : Ah ! hip ! hip ! hip ! hurrah !

BOIS-D'ENGHIEN, *saluant* : Ah ! Mesdames... Messieurs...

On redescend.

Tout ce qui suit doit être dit très rapidement, presque l'un sur l'autre, jusqu'à « Enfin il est revenu ! »

NINI (4) : Le revoilà donc, l'amant prodigue !

BOIS-D'ENGHIEN (3) : Hein !... oui, je...

MARCELINE (1) : Le vilain, qui voulait se faire désirer !

BOIS-D'ENGHIEN, *protestant* : Oh ! pouvez-vous croire... ?

DE CHENNEVIETTE (5) : Oh ! bien, je suis bien content de vous revoir !

BOIS-D'ENGHIEN : Vous êtes bien aimable !

FIRMIN (2) : On peut dire que Madame s'est fait des cheveux pendant l'absence de Monsieur.

BOIS-D'ENGHIEN, *serrant la main à tous* : Ah ! vraiment, elle… ?

TOUS : Enfin, il est revenu !

BOIS-D'ENGHIEN, *souriant* : Il est revenu, mon Dieu, oui ; il est revenu… *(À part, gagnant la gauche en se passant piteusement la brosse dans les cheveux.)* Allons, ça va bien ! ça va très bien ! Moi qui étais venu pour rompre !… ça va très bien.

Il s'assied à droite de la table. Firmin sort, Marceline est remontée, Lucette s'est assise sur le canapé, à côté et à droite de Nini. De Chenneviette est debout derrière le canapé.

LUCETTE, *à Nini* : Et tu viens déjeuner, n'est-ce pas ?

NINI : Non, mon petit… je suis justement venue pour te prévenir ! Je ne peux pas !

LUCETTE : Tu ne peux pas ?

MARCELINE, *pressée de déjeuner* : Ah ! bien, je vais dire à Firmin qu'il enlève votre couvert !

LUCETTE : Et qu'il mette les œufs.

MARCELINE : Oh ! oui !… oh ! oui… les œufs !…

Elle sort par le fond.

LUCETTE : Et pourquoi ne peux-tu pas ?

NINI : Parce que j'ai *d'un* à faire... Au fait, il faut que je t'annonce la grande nouvelle ; car moi aussi j'ai ma grrrande nouvelle : je me marie, ma chère !

LUCETTE ET DE CHENNEVIETTE : Toi ?

BOIS-D'ENGHIEN : Vous ? *(À part.)* Elle aussi ?

NINI : Moi-même, tout comme une héritière du Marais[1].

LUCETTE : Mes compliments.

DE CHENNEVIETTE, *qui a gagné le milieu de la scène* (2) *au-dessus du canapé* : Et quel est le... brave ?

NINI : Mon amant, tiens !

DE CHENNEVIETTE, *moqueur* : Il est ton amant et il t'épouse ! mais qu'est-ce qu'il cherche donc ?

NINI : Comment, « ce qu'il cherche » ! Je vous trouve impertinent !

LUCETTE : Pardon, quel amant donc ?

NINI : Mais je n'en ai pas plusieurs... de sérieux s'entend. Le seul, l'unique ! le duc de la Courtille ! je deviens duchesse de la Courtille[2] !

LUCETTE : Rien que ça !

DE CHENNEVIETTE : C'est superbe !

LUCETTE : Ah ! bien ! je suis bien heureuse pour toi !

BOIS-D'ENGHIEN, *qui pendant ce qui précède parcourt* Le Figaro *qu'il a près de lui sur la table, bondissant tout à coup et à part* : Sapristi ! mon mariage qui est annoncé dans *Le Figaro* !

Il froisse le journal, le met en boule et le fourre contre sa poitrine par l'entrebâillement de son peignoir.

LUCETTE, *qui a vu le jeu de scène ainsi que tout le monde, courant à lui* : Eh bien ! qu'est-ce qui te prend ?

BOIS-D'ENGHIEN : Rien ! rien ! c'est nerveux !

LUCETTE : Mon pauvre Fernand, tu ne vas pas encore être malade !

BOIS-D'ENGHIEN : Non ! non ! *(À part, pendant que Lucette rassurée retourne à la place qu'elle vient de quitter et raconte à mi-voix à Nini que Bois-d'Enghien a été malade.)* Merci ! lui flanquer comme ça mon mariage dans l'estomac, sans l'avoir préparée.

DE CHENNEVIETTE (2) : Ah ! à propos de journal, tu as vu l'aimable article que l'on a fait sur toi dans *Le Figaro* de ce matin[1].

LUCETTE (3) : Non.

DE CHENNEVIETTE : Oh ! excellent ! Justement j'ai pensé à te l'apporter ! attends !...

Il tire de sa poche un Figaro, *qu'il déploie tout grand.*

BOIS-D'ENGHIEN, *anxieux* : Hein !

DE CHENNEVIETTE : Tiens, si tu veux le lire.

BOIS-D'ENGHIEN, *se précipitant sur le journal et l'arrachant des mains de Chenneviette* : Non, pas maintenant, pas maintenant !

Il fait subir au journal le même sort qu'au premier.

TOUS : Comment ?

BOIS-D'ENGHIEN : Non, on va déjeuner ; maintenant, ce n'est pas le moment de lire les journaux.

DE CHENNEVIETTE : Mais qu'est-ce qu'il a ?

SCÈNE V

LES MÊMES, MARCELINE

MARCELINE, *paraissant au fond* : C'est prêt ; on va servir tout de suite.

BOIS-D'ENGHIEN : Là, vous voyez bien ! on va servir !

DE CHENNEVIETTE : Positivement, il a quelque chose !

On sonne.

BOIS-D'ENGHIEN, *gagnant la porte de la chambre de gauche* : Vous m'attendez, je vais achever de m'habiller ! *(À part au moment de partir.)* Ma foi, j'aborderai la question de rupture après le déjeuner !

Il sort, en emportant sa brosse.

SCÈNE VI

LES MÊMES,
puis IGNACE DE FONTANET

FIRMIN, *venant du vestibule*: Madame, c'est M. Ignace de Fontanet !

LUCETTE : Lui ! c'est vrai, je n'y pensais plus ! Vous mettrez son couvert… faites entrer.

Elle se lève et gagne la gauche.

NINI, *allant à elle* : Comment ! tu as de Fontanet à déjeuner ? *(Riant.)* Oh ! je te plains !

LUCETTE : Pourquoi ?

NINI, *riant, mais bonne enfant, sans méchanceté* : Oh ! il sent si mauvais !

LUCETTE, *riant aussi* : Ça, c'est vrai, il ne sent pas bien bon, mais c'est un si brave garçon !… En voilà un qui ne ferait pas de mal à une mouche !

DE CHENNEVIETTE, *à droite, riant aussi* : Oui !… ça encore, ça dépend de la distance à laquelle il lui parle.

NINI, *riant* : Oui.

LUCETTE, *passant au deux pour aller au-devant de Fontanet* : Que vous êtes mauvais !

Pendant ce qui précède, par la porte du vestibule, laissée ouverte, on a vu Fontanet occupé à enlever son paletot aidé par Firmin.

DE FONTANET, * *entrant* : Ah ! ma chère divette[1], combien je suis aise de vous baiser la main !…

LUCETTE, *indiquant Nini* : Justement, Nini nous parlait de vous.

DE FONTANET, *s'inclinant, flatté* : Ah ! c'est bien aimable ! *(À Lucette.)* Vous voyez, c'est imprudent de m'avoir invité, car je prends toujours les gens au mot !

LUCETTE : Mais j'y comptais bien !

Nini est assise à gauche de la table. Marceline debout, au-dessus, cause avec elle.

DE FONTANET, *serrant la main à Chenneviette* : *(À Lucette.)* Eh bien ! ma chère amie, j'espère que vous avez été contente du brillant article du *Figaro* ?

LUCETTE : Mais je ne sais pas. Figurez-vous que je ne l'ai pas lu.

DE FONTANET, *tirant un* Figaro *de sa poche* : Comment ! Oh ! bien, heureusement que j'ai eu la bonne idée de l'apporter.

LUCETTE : Voyons ?

DE FONTANET, *dépliant le journal* : Tenez, là !

* M. 1. — N. 2. — L. 3. — F. 4. — C. 5.

SCÈNE VII

LES MÊMES, BOIS-D'ENGHIEN, *puis* FIRMIN

BOIS-D'ENGHIEN : Là ! je suis prêt ! *(Regardant le journal.)* Allons, bon, encore un ! *(Il se précipite entre Lucette et Fontanet et arrache le journal des mains de ce dernier.)* Donnez-moi ça !... donnez-moi ça !

TOUS : Encore !

DE FONTANET (5), *ahuri* : Eh bien ! qu'est-ce que c'est ?

BOIS-D'ENGHIEN (4) : Non, ce n'est pas le moment de lire les journaux ! On va déjeuner ! on va déjeuner !

Il roule le journal en boule.

LUCETTE (3) : Oh ! mais voyons, c'est ennuyeux, puisqu'il y a un article sur moi !

BOIS-D'ENGHIEN, *fourrant le journal dans sa poche* : Eh bien ! je le range, là, je le range ! *(À part.)* Non, mais tire-t-il, ce journal !... tire-t-il !

DE FONTANET, *presque sur un ton de provocation* : Mais enfin, Monsieur !

BOIS-D'ENGHIEN, *même jeu* : Monsieur ?...

LUCETTE (3), *vivement* : Ne faites pas attention ! *(Présentant.)* Monsieur de Fontanet, un de mes amis ; Monsieur de Bois-d'Enghien, mon ami.

Elle appuie sur le mot « mon ».

DE FONTANET (5), *interloqué, saluant* : Ah ! ah ! enchanté, Monsieur !

BOIS-D'ENGHIEN (4) : Moi de même, Monsieur !

Ils se serrent la main.

DE FONTANET : Je ne saurais trop vous féliciter. Je suis moi-même un adorateur platonique de Mme Lucette Gautier, dont la grâce autant que le talent... *(Voyant Bois-d'Enghien qui hume l'air depuis un instant.)* Qu'est-ce que vous avez ?

BOIS-D'ENGHIEN : Rien. *(Bien ingénument.)* Vous ne trouvez pas que ça sent mauvais ici ?

Chenneviette, Lucette, Marceline et Nini ont peine à retenir leur rire.

DE FONTANET, *reniflant* : Ici ? non !... Maintenant, vous savez, ça se peut très bien, parce que, je ne sais pas comment ça se fait, l'on me dit ça souvent et je ne sens jamais.

Il s'assied sur le canapé et cause avec Chenneviette debout derrière le canapé.

LUCETTE, *vivement et bas à Bois-d'Enghien* : Mais tais-toi donc, voyons, c'est lui !

BOIS-D'ENGHIEN : Hein !... ah ! c'est... ? *(Allant à Fontanet, et étourdiment.)* Je vous demande pardon, je ne savais pas !

DE FONTANET : Quoi ?

BOIS-D'ENGHIEN : Euh !... Rien ! *(À part, redescendant un peu.)* Pristi, qu'il ne sent pas bon !

Il remonte.

FIRMIN, *du fond* : Madame est servie !

LUCETTE : Ah ! à table, mes amis !

MARCELINE, *se précipitant la première* : Ah ! ce n'est pas trop tôt.

Elle entre dans la salle à manger. Bois-d'Enghien la regarde passer en riant.

NINI : Allons, ma chère amie, moi, je me sauve !

LUCETTE, *l'accompagnant* : Alors, sérieusement, tu ne veux pas ?

NINI, *prenant l'en-tout-cas qu'elle a déposé contre le canapé* : Non, non, sérieusement...

LUCETTE, *pendant que Nini serre la main à Fontanet et à Chenneviette* : Je n'insiste pas ! J'espère que quand tu seras duchesse de la Courtille, ça ne t'empêchera pas de venir quelquefois me voir.

NINI, *naïvement* : Mais, au contraire, ma chérie, il me semblera que je m'encanaille.

LUCETTE, *s'inclinant* : Charmant !

Tout le monde rit.

NINI, *interloquée, mais riant avec les autres* : Oh ! ce n'est pas ce que j'ai voulu dire !

MARCELINE, *reparaissant à la porte de la salle à manger, la bouche pleine* : Eh bien ! vient-on ?

LUCETTE : Voilà ! *(À Nini, qu'elle a accompagnée jusqu'à la porte du vestibule.)* Au revoir !

NINI : Au revoir !

Elle sort.

DE CHENNEVIETTE, *assis sur le tabouret du piano* : Eh bien ! mais… la voilà duchesse de la Courtille.

LUCETTE : Ah ! bah ! ça fera peut-être une petite dame de moins, ça ne fera pas une grande dame de plus.

DE FONTANET : Ça, c'est vrai !

LUCETTE : Allons déjeuner ! *(Bois-d'Enghien entre dans la salle à manger. À Fontanet qui s'efface devant elle.)* Passez !

DE FONTANET : Pardon !

Il entre dans la salle à manger.

LUCETTE (1), *à Chenneviette qui est resté rêveur au-dessus du canapé* : Eh bien ! toi, tu ne viens pas ?

DE CHENNEVIETTE (2), *embarrassé* : Si !… seulement j'ai… j'ai un mot à te dire.

Il redescend.

LUCETTE, *redescendant* : Quoi donc ?

DE CHENNEVIETTE, *même jeu* : C'est pour la pension du petit. Le trimestre est échu…

LUCETTE, *simplement* : Ah ! bon, je te remettrai ce qu'il faut après déjeuner !

DE CHENNEVIETTE, *riant pour se donner une conte-*

nance : Je suis désolé d'avoir à te demander ; je... je voudrais pouvoir subvenir, mais les affaires vont si mal[1] !

LUCETTE, *bonne enfant* : Oui, c'est bon ! *(Elle fait le mouvement de remonter, puis redescendant.)* Ah ! seulement, tâche de ne pas aller, comme la dernière fois, perdre la pension de ton fils aux courses.

DE CHENNEVIETTE, *comme un enfant gâté* : Oh ! tu me reproches ça tout le temps !... Comprends donc que si j'ai perdu la dernière fois, c'est qu'il s'agissait d'un tuyau exceptionnel !

LUCETTE : Ah ! oui, il est joli, le tuyau !

DE CHENNEVIETTE : Mais absolument ! c'est le propriétaire lui-même qui m'avait dit, sous le sceau du secret : « Mon cheval est favori, mais ne le joue pas ! c'est entendu avec mon jockey... il doit le tirer ! »

LUCETTE : Eh bien ?

DE CHENNEVIETTE : Eh bien ! il ne l'a pas tiré !... et le cheval a gagné... *(Avec la plus entière conviction.)* Qu'est-ce que tu veux, ce n'est pas de ma faute si son jockey est un voleur !

FIRMIN, *paraissant au fond* : Mlle Marceline fait demander à Madame et à Monsieur de venir déjeuner.

LUCETTE, *impatientée* : Oh ! mais oui ! qu'elle mange, mon Dieu ! qu'elle mange ! *(Firmin sort.)* Allons, viens, ayons égard à la gastralgie de ma sœur ! *(On sonne.)* Vite, voilà du monde !

Ils entrent dans la salle à manger où ils sont accueillis par un « Ah ! » de satisfaction. Ils referment la porte sur eux.

SCÈNE VIII

FIRMIN, MADAME DUVERGER,
puis BOUZIN

FIRMIN, *à madame Duverger qui le précède* : C'est que Madame est en train de déjeuner et elle a du monde.

MADAME DUVERGER, *contrariée* : Oh ! combien je regrette ! mais il faut absolument que je la voie, c'est pour une affaire qui ne peut être différée.

FIRMIN : Enfin, Madame, je vais toujours demander… Qui dois-je annoncer ?

MADAME DUVERGER : Oh ! Mme Gautier ne me connaît pas… Dites tout simplement que c'est une dame qui vient lui demander le concours de son talent pour une soirée qu'elle donne.

FIRMIN : Parfaitement, Madame ! *(Il indique le siège à droite de la table et va pour entrer dans la salle à manger. On sonne. Il rebrousse chemin et se dirige vers la porte du fond, à droite.)* Je vous demande pardon un instant.

MADAME DUVERGER, *s'assied, regarde un peu*

autour d'elle, puis, histoire de passer le temps, elle entrouvre un Figaro *qu'elle a apporté, le dépliant à peine comme une personne qui n'a pas l'intention de s'installer pour une lecture. Après un temps* : Tiens, c'est vrai, « le mariage de ma fille avec M. Bois d'Enghien », c'est annoncé, on m'avait bien dit !...

Elle continue de lire à voix basse avec des hochements de tête de satisfaction.

BOUZIN (3), *à Firmin qui l'introduit* : Enfin, voyez toujours, si on peut me recevoir... Bouzin, vous vous rappellerez !

FIRMIN (2) : Oui, oui !

BOUZIN : Pour la chanson : *« Moi, j' piqu' des épingues ! »*

FIRMIN : Oui, oui !... Si Monsieur veut entrer ? il y a déjà madame qui attend.

BOUZIN : Ah ! parfaitement !

Il salue Mme Duverger qui a levé les yeux et rend le salut. Sonnerie différente des précédentes.

FIRMIN, *à part* : Allons bon, voilà qu'on sonne à la cuisine, je ne pourrai jamais les annoncer.

Il sort par le fond droit. Mme Duverger a repris sa lecture. Bouzin, après avoir déposé son parapluie dans le coin du piano, s'assied sur la chaise qui est à côté du canapé. Moment de silence.

BOUZIN *promène les yeux à droite, à gauche. Son regard s'arrête sur le journal que lit Mme Duverger, il tend le cou pour mieux voir, puis se levant et s'approchant de Mme Duverger* : C'est... *Le Figaro* que Madame lit ?

MADAME DUVERGER, *levant la tête* : Pardon ?

BOUZIN, *aimable* : Je dis : « C'est... c'est *Le Figaro* que Madame lit ? »

MADAME DUVERGER, *étonnée* : Oui, Monsieur.

Elle se remet à lire.

BOUZIN : Journal bien fait !

MADAME DUVERGER, *indifférente avec un léger salut* : Ah ?

Même jeu.

BOUZIN, *revenant à la charge* : Journal très bien fait !... il y a justement, à la quatrième page, une nouvelle..., je ne sais pas si vous l'avez lue ?

MADAME DUVERGER, *légèrement railleuse* : Non, monsieur, non.

BOUZIN : Non ?... pardon, voulez-vous me permettre ? *(Il prend le journal qu'il déplie sous le regard étonné de Mme Duverger[1].)* Voilà, au courrier des théâtres, c'est assez intéressant ; voilà : « Tous les soirs, à l'Alcazar, grand succès pour Mlle Maya dans sa chanson : « Il m'a fait du pied, du pied, du pied... il m'a fait du pied de cochon, truffé[2]. » *(À Mme Duverger, d'un air plein de satisfaction en lui tendant le journal.)* Tenez, Madame, si vous voulez voir par vous-même.

MADAME DUVERGER, *prenant le journal*: Mais pardon, Monsieur, qu'est-ce que vous voulez que ça me fasse que mademoiselle je ne sais pas comment chante, qu'on lui a fait du pied, du pied, du pied, du pied de cochon, truffé ?

BOUZIN : Comment ?…

MADAME DUVERGER : Ça doit être quelque stupidité !

BOUZIN : Oh ! ça non !

MADAME DUVERGER, *avec doute* : Oh !

BOUZIN, *très simplement* : Non… c'est de moi !

MADAME DUVERGER : Hein ?… Oh ! pardon, Monsieur ! J'ignorais que vous fussiez littérateur[1] !

BOUZIN : Littérateur par vocation ! mais clerc de notaire par état.

Firmin reparaît, portant un superbe bouquet.

BOUZIN ET MADAME DUVERGER, *à Firmin* : Eh bien ?

FIRMIN, *au-dessus du canapé* : Je n'ai pas encore pu voir madame, on avait sonné à la cuisine pour ce bouquet.

MADAME DUVERGER : Ah ?

Elle reprend sa lecture.

BOUZIN, *indiquant le bouquet* : Mâtin ! il est beau ! vous en recevez beaucoup comme ça ?

FIRMIN, *simplement* : *Nous* en recevons beaucoup, oui, Monsieur.

BOUZIN : C'est au moins Rothschild qui envoie ça ?

FIRMIN, *avec indifférence* : Je ne sais pas, Monsieur, il n'y a pas de carte : c'est un bouquet anonyme.

Il va déposer le bouquet sur le piano.

BOUZIN : Anonyme ? non, il y a des gens assez bêtes pour faire ça !

MADAME DUVERGER, *à Firmin* : Si vous alliez annoncer, maître d'hôtel ?

FIRMIN, *il remonte comme pour entrer dans la salle à manger* : C'est juste, Madame !

BOUZIN, *courant à lui et au 3* : Ah ! oui, vous vous rappellerez mon nom ?

FIRMIN (2) : Oui, oui, « monsieur Bassin ! »

BOUZIN : Non, « Bouzin ! »

FIRMIN : Euh ! « Bouzin » parfaitement !

BOUZIN, *posant son chapeau sur la chaise près du canapé :* Attendez, je vais vous donner ma carte.

Il cherche une de ses cartes.

FIRMIN : Non, c'est inutile, « Bouzin », je me souviendrai, pour la chanson : « Moi j'pique des épingues ! »

BOUZIN : Parfaitement ! *(Firmin sort par la porte du fond à droite, Bouzin le poursuivant presque jusque la porte.)* Mais je vous assure qu'avec ma carte…

(Redescendant derrière le canapé, tout en remettant la carte dans son portefeuille.) Il va écorcher mon nom, c'est évident ! *(Regardant le bouquet.)* Le beau bouquet tout de même ! *(Il se dispose à remettre son portefeuille dans sa poche, quand une idée traverse son cerveau ; il s'assure que la baronne, qui est à sa lecture, ne le regarde pas, il retire sa carte et la fourre dans le bouquet, puis descendant.)* Après tout, puisque c'est anonyme, autant que ça profite à quelqu'un ! *(Il remet son portefeuille dans sa poche. — Moment de silence. Tout d'un coup, il se met à rire, ce qui fait lever la tête à Mme Duverger.)* Non, je ris en pensant à cette chanson : « Moi je pique des épingues ! » *(Un temps. La baronne se remet à lire. Nouveau rire de Bouzin.)* Vous vous demandez sans doute, ce que c'est que cette chanson : « Moi je pique des épingues ! »

MADAME DUVERGER : Moi ? pas du tout, Monsieur !

Elle fait mine de reprendre sa lecture.

BOUZIN, *qui s'est avancé jusqu'à la baronne* : Oh ! il n'y aurait pas d'indiscrétion ! c'est une chanson que j'ai écrite pour Lucette Gautier… Tout le monde me disait : « Pourquoi n'écrivez-vous pas une chanson pour Lucette Gautier ? »… et de fait, il est évident qu'elle sera ravie de chanter quelque chose de moi… Alors, j'ai fait ça ! *(Même jeu pour la baronne.)* Tenez, rien que le refrain pour vous donner un aperçu…

La baronne en désespoir de cause plie son journal et le pose sur la table.

Moi, j'piqu' des éping'
Dans les p'lot' des femm's que j'disting' :

(Parlé.) L'air n'est pas encore fait. *(Récitant avec complaisance.)*

Chacun sa façon de se divertir,
Quand j'piqu'pas d'éping', moi, j'ai pas d'plaisir[1] !

Il rit d'un air enchanté.

MADAME DUVERGER, *approbative par complaisance* : Aah !

BOUZIN, *quêtant un compliment* : Quoi ?

MADAME DUVERGER, *même jeu, ne sachant que dire* : Ah ! oui !

BOUZIN : N'est-ce pas ? *(Après un temps.)* Mon Dieu, je ne dirai pas que c'est pour les jeunes filles.

MADAME DUVERGER : Ah ?

BOUZIN : Et encore les jeunes filles, il faut bien se dire ceci : à celles qui ne comprennent pas, ça ne leur apprend pas grand-chose, et à celles qui comprennent, ça ne leur apprend rien du tout.

MADAME DUVERGER : C'est évident !

BOUZIN, *brusquement, après un temps pendant lequel il considère la baronne* : Je vous demande pardon, Madame, de mon indiscrétion, mais votre visage ne m'est pas inconnu... Est-ce que ce n'est pas vous qui chantez à l'Eldorado : « C'est moi qui suis le drapeau de la France[1] ! » ?

MADAME DUVERGER, *réprimant une envie de rire et tout en se levant* : Non, Monsieur, non ! je ne suis pas artiste… *(Se présentant.)* Baronne Duverger…

BOUZIN : Ah ? ça n'est pas ça, alors !

Il s'incline et remonte. Au même moment, Firmin revient à la salle à manger, un papier plié en long à la main.

SCÈNE IX

LES MÊMES, FIRMIN

BOUZIN, *anxieux, allant à lui* : Eh bien ?… Vous avez dit à Mme Lucette Gautier, pour ma chanson ?

FIRMIN (2) : Oui, Monsieur.

BOUZIN (3) : Qu'est-ce qu'elle a dit ?

FIRMIN : Elle a dit qu'elle était stupide et que je vous la rende.

BOUZIN, *changeant de figure et sèchement* : Ah ?

FIRMIN : Voilà, Monsieur.

Il lui remet la chanson.

BOUZIN, *vexé* : C'est très bien ! D'ailleurs, ça ne m'étonne pas, pour une fois que ça sort de son genre ordinaire.

FIRMIN, *amicalement, descendant un peu* : Écoutez, mon cher ! *(Bouzin qui a pris son chapeau sur la chaise, descend un peu.)* Une autre fois, avant d'entreprendre un travail pour madame, venez donc en causer avec moi d'abord.

BOUZIN, *avec dédain* : Avec vous ?

FIRMIN : Oui ! vous comprenez : je suis habitué à voir ce qu'on fait pour elle, je sais ce qu'il lui faut.

BOUZIN, *dédaigneux* : Je vous remercie bien ! mais je travaille toujours sans collaborateur… *(Remontant.)* Je vais porter cette chanson à Yvette Guilbert[1] qui sera moins difficile, et elle a du talent au moins, elle.

FIRMIN : Comme vous voudrez, Monsieur.

Il redescend.

BOUZIN, *ronchonnant* : Stupide, ma chanson ! Ah ! là ! là ! *(Indiquant le bouquet.)* Et moi qui !… *(Il prend le bouquet, comme pour le remporter, remonte jusqu'au fond avec, puis se ravisant.)* Non ! *(Il repose le bouquet sur le piano, puis à Firmin.)* Bonjour, mon ami !

FIRMIN : Bonjour, Monsieur !

Sortie de Bouzin.

MADAME DUVERGER : Et pour moi, avez-vous… ?

FIRMIN : Oui, Madame ; mais c'est bien ce que j'ai dit à madame, madame a du monde et elle ne peut causer d'affaires en ce moment.

MADAME DUVERGER, *contrariée* : Oh ! que c'est ennuyeux !

FIRMIN : Madame ne peut pas passer un peu plus tard ?...

MADAME DUVERGER : Il faudra bien, c'est pour une soirée de contrat qui a lieu aujourd'hui même ; vous direz à madame que je repasserai dans une heure.

FIRMIN : Oui, Madame ! *(Mme Duverger remonte.)* Par ici, Madame !

Mme Duverger sort la première, suivie de Firmin qui referme la porte sur lui. Au même moment, Chenneviette passe la tête par l'entre-bâillement de la salle à manger.

SCÈNE X

DE CHENNEVIETTE, LUCETTE, BOIS-D'ENGHIEN, DE FONTANET

DE CHENNEVIETTE, *ouvrant la porte toute grande* : Tout le monde est parti, nous pouvons entrer !

TOUS, *avec satisfaction* : Ah !

Ils entrent, parlant tous à la fois et tenant chacun une tasse de café à la main. Chenneviette va à la cheminée, Fontanet descend à gauche de la table.

LUCETTE (4), *à Bois-d'Enghien* : Qu'est-ce que tu as, mon chéri, on dirait que tu es triste ?

BOIS-D'ENGHIEN (3) : Moi, pas du tout ! *(À part.)* Seulement je suis embêté à la perspective de rompre tout à l'heure !

Il va s'asseoir sur le canapé.

LUCETTE, *qui est passée derrière le canapé, l'enlaçant brusquement par le cou au moment où il va avaler une gorgée de son café* : Tu m'aimes ?

BOIS-D'ENGHIEN : Je t'adore ! *(À part.)* Je ne sais pas comment je vais lui faire avaler ça !

Lucette fait le tour et vient se mettre à genoux sur le canapé à la droite de Bois-d'Enghien.

DE FONTANET, *qui est assis à gauche de la table, apercevant le bouquet et brusquement* : Oh ! le superbe bouquet !

TOUS : Où ça ? où ça ?

DE FONTANET, *l'indiquant* : Là ! là !

TOUS, *regardant dans la direction* : Oh ! superbe !

LUCETTE : Tiens, qui est-ce qui a envoyé ça ?

DE CHENNEVIETTE, *qui est allé prendre le bouquet sur le piano, descendant avec, au milieu de la scène* : Attends, il y a une carte ! *(Lisant.)* Camille Bouzin, officier d'Académie ! *(Il s'incline en faisant claquer sa langue en signe d'admiration railleuse.)* 132, rue des Dames !

LUCETTE, *prenant le bouquet que lui présente*

Chenneviette : Comment, c'est Bouzin ?... Oh ! vraiment, je suis touchée, le pauvre garçon, moi qui lui ai fait rendre sa chanson d'une façon si...

DE CHENNEVIETTE, *achevant* : ... Sans façon !

LUCETTE : Oui. *(À Fontanet.)* Vous savez, c'est l'auteur de : « Moi j'pique des épingues » dont je vous ai lu un couplet pendant le déjeuner.

DE FONTANET, *se souvenant* : Ah ! oui ! oui !

LUCETTE, *se dirigeant avec le bouquet vers la cheminée* : Mais aussi, c'est vrai, pourquoi est-elle aussi stupide, sa chanson ? Si seulement il y avait quelque chose à en faire. *(Respirant le bouquet.)* Oh ! il embaume ! *(Subitement.)* Tiens, qu'est-ce qu'il y a donc dedans ?... un écrin !

Elle le tire du bouquet et met ce dernier dans un des vases de la cheminée.

TOUS : Un écrin !

LUCETTE, *redescendant à droite de la table* : Mais oui ! *(L'ouvrant.)* Oh ! non, c'est trop ! c'est trop ! regardez-moi ça : une bague rubis et diamants !

Elle met la bague à son doigt.

TOUS : Oh ! qu'elle est belle !

LUCETTE, *s'asseyant tout en lisant l'adresse marquée au fond de l'écrin* : Oh ! et de chez Béchambès[1] encore !... Vraiment, je suis de plus en plus confuse !

DE CHENNEVIETTE, *au-dessus de la table* : C'est ce Bouzin qui envoie ça ?

BOIS-D'ENGHIEN : Ah ! çà, il est donc riche ?

LUCETTE : Dame ! à le voir, je ne m'en serais jamais doutée ! Il est toujours mis ! on lui donnerait deux sous !

DE CHENNEVIETTE : Enfin, il est évident qu'il doit être riche pour faire des cadeaux pareils.

DE FONTANET : Je dirai même plus : riche et amoureux !

LUCETTE, *riant* : Vous croyez ?

BOIS-D'ENGHIEN, *qui a gagné la droite, à part* : Tiens, tiens ! mais si on pouvait lancer ce Bouzin sur Lucette ! c'est ça qui me faciliterait ma retraite.

Pendant l'aparté de Bois-d'Enghien, Fontanet est remonté à la cheminée.

LUCETTE : Mais, c'est cette chanson ! voyons ! il doit bien y avoir un moyen de l'arranger ?... avec un collaborateur qui la referait par exemple.

BOIS-D'ENGHIEN, *assis sur le canapé* : Un tripatouilleur !

DE FONTANET, *descendant, en traînant derrière lui le pouf sur lequel il s'assied* : Attendez donc !... mais j'ai peut-être une idée ! pourquoi n'en ferait-il pas une chanson satirique... une chanson politique, par exemple ?

LUCETTE, *assise à droite de la table* : Il a raison.

DE CHENNEVIETTE, *assis à gauche de la table* : En quoi ?

LUCETTE, *à Chenneviette* : Attends, nous allons le savoir !

DE FONTANET : Et comme c'est simple ! au lieu de : « Moi j'pique des épingles », il met : « Moi j'touche des épingles », et voilà, ça y est, ça devient d'actualité[1].

TOUS, *échangeant les uns avec les autres des regards approbatifs* : Mais oui !

DE FONTANET, *avec l'importance que donne le succès* : Vous savez : cet homme qui « pique des épingles dans les p'lotes des femmes qu'il distingue », c'est pas drôle ! c'est pas propre !... Tandis qu'avec... un député, par exemple : « Il touche des épingles. » Eh bien ! au moins...

BOIS-D'ENGHIEN : ... C'est propre.

LUCETTE : Excellente idée ! Il faudra que je lui soumette ça !

Elle se lève.

DE FONTANET, *se levant, en reculant un peu le pouf que Lucette va reporter à sa place devant la cheminée* : Oh ! des idées, ce n'est pas ça qui me manque ! c'est quand il s'agit de les mettre à exécution.

BOIS-D'ENGHIEN, *qui s'est levé* : Ah ! parbleu ! comme beaucoup de gens !

DE FONTANET : Pourtant, une fois j'ai essayé de faire une chanson, une espèce de scie... *(À Bois-d'Enghien, bien dans la figure.)* Je me rappelle, c'était intitulé : « Ah ! pffu ! ! »

BOIS-D'ENGHIEN, *qui a reçu le souffle en plein visage ne peut retenir un recul de tête qu'il dissimule aussitôt dans un sourire de complaisance à Fontanet; puis à part, gagnant la droite*: Pff!! quelle drôle de manie ont les gens à odeur de vous parler toujours dans le nez!

LUCETTE, *à Fontanet*: Et vous en vîntes à bout?

DE FONTANET, *bien modeste*: Mon Dieu,... comme je pus!

BOIS-D'ENGHIEN, *avec conviction*: Oh! oui!

Tout le monde pouffe de rire.

DE FONTANET, *qui n'a pas compris, mais riant aussi*: Hein? quoi? pourquoi rit-on?... Est-ce que j'ai dit quelque chose...?

LUCETTE, *riant, indiquant Fernand assis sur le canapé*: Non... non... c'est Fernand qui n'est pas sérieux!

DE FONTANET, *regardant Bois-d'Enghien qui rit aussi, tout en lui faisant des signes de ne pas s'arrêter à ça*: Ah! c'est ça, c'est lui qui n'est pas... Mais qu'est-ce que j'ai bien pu dire? Euh! euh!... Je n'y suis pas du tout!...

LUCETTE, *le rire coupant ses paroles*: Mais je vous dis, ne cherchez pas! ça n'en vaut pas la peine. *(Voulant changer de conversation et toujours en riant.)* Tenez, parlons de choses plus sérieuses. On vous verra ce soir au concert?

DE FONTANET : Oh ! non, ce soir, impossible ! Je vais dans le monde.

LUCETTE, *toujours sous l'influence du rire* : Du reste, je ne sais pas pourquoi je vous demande ça, je ne chante pas ce soir : c'est mon jour de congé.

DE FONTANET : Oh ! bien, ça se trouve bien ! Moi, je vais chez une de mes vieilles amies, la baronne Duverger.

BOIS-D'ENGHIEN, *qui riait aussi, changeant de visage, et à part, se levant vivement* : Sapristi ! ma future belle-mère !

DE FONTANET : Elle donne une soirée à l'occasion du mariage de sa fille avec monsieur… Attendez donc, on m'a dit le nom…

BOIS-D'ENGHIEN, *anxieux* : Mon Dieu !

DE FONTANET, *cherchant* : Monsieur… ? monsieur… ?

BOIS-D'ENGHIEN, *passant entre lui et Lucette* : C'est bon, ça ne fait rien, ça nous est égal !

DE FONTANET : Si, si, laissez donc ! c'est un nom dans le genre du vôtre !

BOIS-D'ENGHIEN : Mais non ! mais non ! c'est pas possible ! il n'y en a pas ! il n'y en a pas !

LUCETTE : Qu'est-ce que tu as, à être agité comme ça ?

BOIS-D'ENGHIEN : Je ne suis pas agité ; seulement, je sais bien ce que c'est ! c'est comme les gens qui vous disent : attendez donc, c'est un nom qui commence par un Q…

DE FONTANET, *vivement* : C'est ça !

BOIS-D'ENGHIEN : … Duval !

DE FONTANET : Ah ! non.

BOIS-D'ENGHIEN : Qu'est-ce que ça nous fait le nom de ces gens-là, puisque nous ne les connaissons pas.

On sonne.

DE CHENNEVIETTE : Au fond, il a raison !

BOIS-D'ENGHIEN : Cherchez donc pas, allez ! cherchez donc pas !

SCÈNE XI

LES MÊMES, FIRMIN, *puis* BOUZIN

LUCETTE, *à Firmin qui entre et cherche quelque chose derrière les meubles* : Qu'est-ce que c'est, Firmin ?

FIRMIN, *avec une bonhomie dédaigneuse* : Oh ! rien, Madame, c'est cet homme… Bouzin, qui dit avoir laissé son parapluie[1].

TOUS : Bouzin !

LUCETTE, *qui est remontée, passant devant Firmin* : Mais faites-le entrer !

FIRMIN, *étonné* : Ah ?

Bois-d'Enghien remonte légèrement, Fontanet gagne la gauche.

LUCETTE, *qui est allée jusqu'à la porte du vestibule* : Mais entrez donc, Monsieur Bouzin ! *(L'introduisant.)* Monsieur Bouzin, mes amis !

BOIS-D'ENGHIEN, DE FONTANET, DE CHENNEVIETTE, *lui faisant accueil* : Ah ! Monsieur Bouzin !

Firmin sort.

BOUZIN, *très étonné de la réception, saluant, très gêné* : Messieurs, Madame, je vous demande pardon, c'est parce que je crois avoir oublié...

LUCETTE, *aux petits soins* : Mais asseyez-vous donc, Monsieur Bouzin !

Elle lui a apporté la chaise qui était au-dessus de la table.

TOUS, *même jeu* : Mais asseyez-vous donc, Monsieur Bouzin !

Chacun lui apporte une chaise : Bois-d'Enghien, celle au-dessus du canapé qu'il met à côté de celle apportée par Lucette ; Fontanet, celle de la droite de la table, et Chenneviette, celle de gauche ; ce qui forme un rang de chaises derrière Bouzin.

BOUZIN, *s'asseyant d'abord, moitié sur une chaise, moitié sur l'autre, puis sur celle présentée par Lucette* : Ah ! Messieurs... vraiment !...

LUCETTE, *s'asseyant à côté de lui, à sa droite, Fontanet à droite de Lucette et Bois-d'Enghien à gauche de Bouzin, Chenneviette sur le coin de la table* : Et maintenant, que je vous gronde ! Pourquoi avez-vous remporté comme ça votre chanson ?

BOUZIN, *avec un rictus amer* : Comment, pourquoi ? Votre domestique m'a dit que vous la trouviez stupide !

LUCETTE, *se récriant* : Stupide, votre chanson !... Oh ! il n'a pas compris !

TOUS : Il n'a pas compris ! il n'a pas compris !

BOUZIN, *dont la figure s'éclaire* : Ah ! c'est donc ça ? Je me disais aussi...

LUCETTE : Oh ! mais d'abord, il faut que je vous remercie pour votre splendide bouquet.

BOUZIN, *embarrassé* : Hein ?... Ah ! le... Oh ! ne parlons pas de ça !

LUCETTE : Comment, n'en parlons pas !... Merci ! c'est d'un galant de votre part.

TOUS : Ça, c'est vrai !... c'est d'un galant...

LUCETTE, *brusquement, montrant sa main avec la bague* : Et ma bague ? vous avez vu ma bague ?

BOUZIN, *qui ne comprend pas* : Votre bague ? Ah ! oui.

TOUS : Ah ! elle est superbe !

LUCETTE, *coquette* : Vous voyez, je l'ai à mon doigt.

BOUZIN, *même jeu* : Oui, en effet, elle est... *(À part.)* Qu'est-ce que ça me fait, sa bague ?

LUCETTE : C'est le rubis, surtout qui est admirable.

BOUZIN : Le rubis ? La chose, là ? Oui, oui ! *(Un*

petit temps.) Ah ! là, là, quand on pense que c'est si cher, ces machines-là !

Tout le monde se regarde interloqué, ne sachant que dire.

LUCETTE, *un peu décontenancée* : Oui, mais j'ai su apprécier.

BOUZIN : Car enfin, ça n'en a pas l'air, une bague comme ça, ça vaut plus de sept mille francs[1].

DE CHENNEVIETTE, *quittant sa place, et remontant derrière la table* : Sept mille francs !

LUCETTE, *à Chenneviette* : Mais oui, ça ne m'étonne pas !

Chenneviette gagne par-derrière, jusqu'au-dessus du canapé.

BOUZIN : La vie d'une famille pendant deux ans. Eh bien ! quand il faut verser sept mille francs pour ça, vous savez !…

Ahurissement général.

BOIS-D'ENGHIEN, *le regarde, avec l'air de dire : « Mais qu'est-ce que c'est que cet homme-là ! » Puis à mi-voix à Chenneviette* : Mais je trouve ça de très mauvais goût, ce qu'il fait là !

DE CHENNEVIETTE, *à mi-voix également* : Lui, il est infect !

Il remonte au fond. Bois-d'Enghien se lève

et replace sa chaise à sa place première, au-dessus du canapé.

LUCETTE, *voulant tout de même être aimable* : En tout cas, ça prouve la générosité du donateur !

BOUZIN : Ah ! oui. *(À part.)* Et son imbécillité ! *(Haut.)* Alors, pour en revenir à ma chanson…

LUCETTE : Eh bien ! voilà : …

DE FONTANET, *se levant et rapprochant sa chaise de la table* : Ah ! bien, ma chère diva, je vois que vous avez à travailler. Je vais vous laisser.

LUCETTE, *se levant également* : Vous partez ! attendez, je vous accompagne.

Elle reporte sa chaise au-dessus de la table.

DE FONTANET : Oh ! je vous en prie…

LUCETTE, *faisant passer Fontanet et l'accompagnant* : Du tout, du tout ! *(À Chenneviette.)* Tiens, viens avec moi, toi, par la même occasion je te remettrai ce que tu sais pour le petit, tu pourras l'envoyer immédiatement.

DE CHENNEVIETTE : Ah ! bon !

Bouzin, sans se lever, a suivi tout ce mouvement en pivotant petit à petit avec sa chaise, de sorte qu'il est dos aux spectateurs.

LUCETTE : Vous permettez, Monsieur Bouzin ? Je suis à vous tout de suite.

Tout le monde sort, à l'exception de Bois-d'Enghien et de Bouzin.

SCÈNE XII

BOIS-D'ENGHIEN, BOUZIN

BOIS-D'ENGHIEN, *qui les a regardés partir, traversant à grands pas la scène, et brusquement à Bouzin qui s'est levé et est allé porter sa chaise à gauche de la table* : Eh bien ! voulez-vous que je vous dise, vous ! Vous êtes amoureux de Lucette !

BOUZIN, *ahuri* : Moi !

BOIS-D'ENGHIEN : Oui, oui ! Oh ! pas besoin de dissimuler, vous êtes amoureux ! Eh bien ! mais hardi donc ! Du courage ! C'est le moment, allez-y !

BOUZIN : Hein !

BOIS-D'ENGHIEN : Si vous êtes un homme, Lucette est à vous.

BOUZIN : À moi, mais je vous assure…

BOIS-D'ENGHIEN, *vivement* : Chut, la voilà ! pas un mot aujourd'hui !… vous attaquerez demain !

Il retourne à droite en sifflotant, les mains dans ses poches, pour se donner un air détaché.

BOUZIN, *à part* : C'est drôle, pourquoi veut-il que je sois amoureux de Lucette Gautier ?

SCÈNE XIII

LES MÊMES, LUCETTE

LUCETTE (2), *à Bouzin* : Je vous demande pardon de vous avoir laissé.

BOUZIN (1), *qui est remonté au-dessus de la table* : Mais comment donc ! *(À part.)* Je n'en suis pas amoureux du tout.

LUCETTE, *s'asseyant à droite de la table* : Maintenant, nous allons pouvoir causer sans être dérangés.

BOUZIN, *s'asseyant au-dessus de la table, face au public* : Oui.

LUCETTE : Eh bien ! voilà ! votre chanson, elle est charmante ! Il n'y a pas deux mots : elle est charmante.

BOUZIN : Vous êtes trop aimable ! *(À part, en se baissant pour poser son chapeau sous la table.)* Et cet autre qui avait compris qu'elle était stupide ! Faut-il être bête !

LUCETTE : Mais enfin, vous savez, on a beau dire que le mieux est l'ennemi du bien… votre chanson, je le répète, elle est charmante ! mais, comment dirais-je ?… elle manque un peu de caractère.

BOUZIN, *protestant* : Oh ! cependant…

LUCETTE : Non ! non ! il faut bien avoir le

courage de vous parler franchement : c'est plein d'esprit, mais ça ne veut rien dire.

BOUZIN, *interloqué* : Ah !

LUCETTE, *à Bois-d'Enghien, qui, par discrétion, se tient à distance, appuyé à la cheminée* : N'est-ce pas ?

BOIS-D'ENGHIEN : Oui, oui ! *(Descendant s'asseoir à gauche de la table.)* Et puis, moi, si vous me permettez de donner mon avis, ce que je reproche aussi, c'est la forme.

LUCETTE : Ah ! bien, oui ! évidemment, la forme est défectueuse ! mais encore, la forme, je passe par-dessus !

BOIS-D'ENGHIEN : Et puis enfin, ça… ça manque de traits, c'est un peu gris !

LUCETTE : Oui, tenez !… ça, c'est un peu vrai ce qu'il dit là ! On sent bien que c'est la chanson d'un homme d'esprit, mais c'est la chanson d'un homme d'esprit…

BOIS-D'ENGHIEN : … Qui l'aurait fait écrire par un autre !

LUCETTE : Voilà !…

BOUZIN, *hochant la tête* : C'est curieux !… *(Un petit temps.)* Enfin, à part ça, vous la trouvez bien ?

BOIS-D'ENGHIEN ET LUCETTE : Oh ! très bien !

LUCETTE : Très bien ! très bien ! *(Changement de ton.)* Alors, voici ce que nous avons pensé… Avez-vous votre chanson sur vous ?

BOUZIN : Ah ! non, je l'ai déposée chez moi.

LUCETTE : Oh ! c'est dommage !

BOUZIN : Mais, ça ne fait rien ! je demeure rue des Dames… c'est à deux pas, je peux courir…

Il se lève.

LUCETTE, *se levant* : Ah ! bien, si ça ne vous dérange pas… Au moins nous pourrons travailler utilement.

BOUZIN : Mais comment donc ! c'est bien le moins ! Et vous savez, tout ce que vous voudrez ! J'ai le travail très facile !

BOIS-D'ENGHIEN : Oui ?

BOUZIN : Moi ! mais je vous fais une chanson comme ça, du premier jet.

BOIS-D'ENGHIEN, *se levant* : Non, vrai ? *(À part.)* C'est beau de pouvoir faire aussi mauvais que ça, du premier coup !

BOUZIN, *passant au 3 et se dirigeant vers la porte de sortie* : Je vais et je reviens !

LUCETTE, *qui l'a suivi, lui indiquant son parapluie* : Votre parapluie !

BOUZIN : Ah ! c'est juste ! Merci !

Il prend son parapluie derrière le piano et sort accompagné de Lucette.

SCÈNE XIV

BOIS-D'ENGHIEN, *puis* LUCETTE

BOIS-D'ENGHIEN, *gagnant la droite* : Et maintenant, moi, j'ai préparé le terrain du côté de ce bonhomme-là, du Bouzin. Il n'y a plus à tergiverser : mon contrat se signe ce soir, il s'agit d'aborder la rupture carrément.

LUCETTE, *parlant à la cantonade* : C'est ça ! ce sera charmant ! Dépêchez-vous !

BOIS-D'ENGHIEN, *s'asseyant sur le canapé, côté le plus éloigné* : Elle !… Par exemple, si je sais comment je vais m'y prendre ?

LUCETTE, *descendant (2) derrière le canapé et venant embrasser Bois-d'Enghien dans le cou* : Tu m'aimes ?

BOIS-D'ENGHIEN : Je t'adore !

LUCETTE : Ah ! chéri !…

Elle le quitte pour faire le tour du canapé et aller s'asseoir à gauche de Bois-d'Enghien.

BOIS-D'ENGHIEN, *à part* : C'est pas comme ça, en tout cas !…

LUCETTE, *assise à sa gauche* : Que je suis heureuse de te revoir, là ! Je n'en crois pas mes yeux ! Vilain ! si tu savais le chagrin que tu m'as fait ! J'ai cru que c'était fini, nous deux !

BOIS-D'ENGHIEN, *protestant hypocritement* : Oh ! « fini » !

LUCETTE, *avec transport* : Enfin, je te *r'ai* ! Dis-moi que je te *r'ai* ?

BOIS-D'ENGHIEN, *avec complaisance* : Tu me *r'as* !

LUCETTE, *les yeux dans les yeux* : Et que ça ne finira jamais ?

BOIS-D'ENGHIEN, *même jeu* : Jamais !

LUCETTE, *dans un élan de passion, lui saisissant*

la tête et la couchant sur sa poitrine : Oh ! mon nan-nan !

BOIS-D'ENGHIEN : Oh ! ma Lulu !

Lucette couche sa tête en se faisant un oreiller de ses deux bras sur la hanche de Bois-d'Enghien qui se trouve étendu sur ses genoux, de côté et très mal.

BOIS-D'ENGHIEN, *à part* : C'est pas ça du tout ! C'est pas ça du tout ! Je suis mal embarqué !...

LUCETTE, *dans la même position et langoureusement* : Vois-tu, voilà comme je suis bien !

BOIS-D'ENGHIEN, *à part* : Ah ! bien ! pas moi, par exemple !

LUCETTE, *même jeu* : Je voudrais rester comme ça pendant vingt ans !... et toi ?

BOIS-D'ENGHIEN : Tu sais, vingt ans, c'est long !

LUCETTE : Je te dirais : « Mon nan-nan ! » ; tu me répondrais : « Ma Lulu !... » et la vie s'écoulerait.

BOIS-D'ENGHIEN, *à part* : Ce serait récréatif !

LUCETTE, *se remettant sur son séant, ce qui permet à Bois-d'Enghien de se redresser* : Malheureusement, ce n'est pas possible ! *(Elle se lève, fait le tour du canapé, puis avec élan, à Bois-d'Enghien.)* Tu m'aimes ?

BOIS-D'ENGHIEN : Je t'adore !

LUCETTE : Ah ! chéri, va !

Elle remonte au-dessus du canapé.

BOIS-D'ENGHIEN, *à part* : Pristi ! que c'est mal engagé !

LUCETTE, *au milieu de la scène et au-dessus (1), d'un air plein de sous-entendu* : Alors…, viens m'habiller ?

BOIS-D'ENGHIEN (2), *comme un enfant boudeur* : Non !… pas encore !

LUCETTE, *descendant* : Qu'est-ce que tu as ?

BOIS-D'ENGHIEN, *même jeu* : Rien !

LUCETTE : Si ! tu as l'air triste !

BOIS-D'ENGHIEN, *se levant et prenant son courage à deux mains* : Eh bien ! oui ! si tu veux le savoir, j'ai que cette situation ne peut pas durer plus longtemps !

LUCETTE : Quelle situation ?

BOIS-D'ENGHIEN : La nôtre *(À part.)* Aïe donc ! Aïe donc ! *(Haut.)* Et puisqu'aussi bien, il faut en arriver là un jour ou l'autre, j'aime autant prendre mon courage à deux mains, tout de suite : Lucette, il faut que nous nous quittions !

LUCETTE, *suffoquée* : Quoi !

BOIS-D'ENGHIEN : Il le faut ! *(À part.)* Aïe donc ! Aïe donc !

LUCETTE, *ayant un éclair* : Ah ! mon Dieu !… tu te maries !

BOIS-D'ENGHIEN, *hypocrite* : Moi ? ah ! là là ! ah ! bien ! à propos de quoi ?

LUCETTE : Eh bien ! pourquoi ? alors, pourquoi ?

BOIS-D'ENGHIEN : Mais à cause de ma position

de fortune actuelle… ne pouvant t'offrir l'équivalent de la situation que tu mérites…

LUCETTE : C'est pour ça ! *(Éclatant de rire, en se laissant presque tomber sur lui d'une poussée de ses deux mains contre les épaules.)* Ah ! que t'es bête !

BOIS-D'ENGHIEN : Hein ?

LUCETTE, *avec tendresse, le serrant dans ses bras* : Mais est-ce que je te demande quelque chose !… Est-ce que je ne suis pas heureuse comme ça ?

BOIS-D'ENGHIEN : Oui, mais ma dignité !…

LUCETTE : Ah ! laisse-la où elle est ta dignité ! Qu'il te suffise de savoir que je t'aime. *(Se dégageant et gagnant un peu la gauche, avec un soupir de passion.)* Oh ! oui, je t'aime !

BOIS-D'ENGHIEN, *à part* : Allons, ça va bien ! ça va très bien !

LUCETTE : Vois-tu, rien qu'à cette pensée que tu pourras te marier ! *(Retournant à lui et le serrant comme si elle allait le perdre.)* Ah ! dis-moi que tu ne te marieras jamais ! jamais !

BOIS-D'ENGHIEN : Moi ?… Ah ! bien !

LUCETTE, *avec reconnaissance* : Merci ! *(Se dégageant.)* Oh ! d'ailleurs, si ça t'arrivait, je sais bien ce que je ferais !

BOIS-D'ENGHIEN, *inquiet* : Quoi ?

LUCETTE : Ah ! ça ne serait pas long, va ! Une bonne balle dans la tête !

BOIS-D'ENGHIEN, *les yeux hors des orbites* : À qui ?

LUCETTE : À moi, donc !

BOIS-D'ENGHIEN, *rassuré* : Ah ! bon !

LUCETTE, *qui s'est approchée de la table, prenant nerveusement* Le Figaro *laissé par la baronne* : Oh ! ce n'est pas le suicide qui me ferait peur, si j'apprenais jamais, ou si je lisais dans un journal…

Elle indique le journal qu'elle tient.

BOIS-D'ENGHIEN, *à part, terrifié, mais sans bouger de place* : Sapristi ! un *Figaro* !

LUCETTE : Mais, je suis folle ; puisqu'il n'en est pas question, à quoi bon me mettre dans cet état !

Elle rejette Le Figaro *sur la table et gagne la gauche.*

BOIS-D'ENGHIEN, *se précipitant sur* Le Figaro *et le fourrant entre sa jaquette et son gilet. À part* : Ouf !… Mais il en pousse donc ! il en pousse !

Lucette s'est retournée au bruit. Bois-d'Enghien rit bêtement pour se donner une contenance.

LUCETTE, *revenant à lui, avec élan et se jetant dans ses bras* : Tu m'aimes ?

BOIS-D'ENGHIEN : Je t'adore !

LUCETTE : Ah ! chéri !

Elle remonte.

BOIS-D'ENGHIEN, *à part* : Jamais !… jamais je n'oserai lui avouer mon mariage, après ça ! jamais !

Il gagne la droite et se laisse tomber découragé sur le canapé.

SCÈNE XV

LES MÊMES, DE CHENNEVIETTE

DE CHENNEVIETTE, *arrivant du fond, en achevant de coller une enveloppe. À Lucette* : Dis donc, je fais recommander la lettre… As-tu un timbre de quarante centimes ?

LUCETTE, *se dirigeant vers sa chambre* : Oui, par là… attends !

DE CHENNEVIETTE : Tiens, voilà quarante centimes !

LUCETTE, *à la bonne franquette* : Eh ! je n'en ai pas besoin de tes quarante centimes.

DE CHENNEVIETTE, *vexé* : Mais moi non plus ! Il n'y a pas de raison pour que tu me fasses cadeau de huit sous ! C'est drôle ça !

LUCETTE : Ah ! Comme tu voudras !…

Elle prend l'argent et entre dans sa chambre.

DE CHENNEVIETTE, *à Bois-d'Enghien* : C'est curieux, tenez ! Voilà de ces petites choses que les femmes ne sentent pas !

BOIS-D'ENGHIEN, *préoccupé* : Oui, oui !

DE CHENNEVIETTE : Qu'est-ce que vous avez ? Vous avez l'air embêté.

BOIS-D'ENGHIEN : Ah ! mon cher ! ce n'est pas embêté qu'il faut dire, c'est désespéré.

DE CHENNEVIETTE : Ah ! mon Dieu ! quoi donc ?

BOIS-D'ENGHIEN, *se levant et allant à lui* : Ah ! tenez ! vous seul pouvez me tirer de là ! C'est pour une chose que je ne sais comment dire à Lucette... Je peux bien vous dire ça, à vous ! vous êtes... *presque* son mari. Il faut absolument que je la lâche et qu'elle me lâche !

DE CHENNEVIETTE, *tombant des nues* : Qu'est-ce que vous me dites là ?

BOIS-D'ENGHIEN : La vérité, mon cher ! je me marie !

DE CHENNEVIETTE : Vous !

BOIS-D'ENGHIEN : Moi !... Et le contrat se signe ce soir !

DE CHENNEVIETTE : Sapristi de sapristi !

BOIS-D'ENGHIEN, *le prenant par le bras et sur le ton le plus persuasif* : Voyons, au fond, c'est son intérêt, cette rupture !

DE CHENNEVIETTE : Comment, mais c'est tellement vrai, qu'en ce moment, si elle voulait, elle aurait une occasion superbe.

On sonne.

BOIS-D'ENGHIEN : Eh bien ! dites-lui, que diable ! parlez-lui sérieusement, elle vous écoutera.

DE CHENNEVIETTE, *d'un air de doute* : Ah ! ouiche !

SCÈNE XVI

LES MÊMES, FIRMIN,
puis MARCELINE, LE GÉNÉRAL
et ANTONIO, *puis* LUCETTE

FIRMIN, *annonçant* : Le général Irrigua !

DE CHENNEVIETTE : Lui ! faites-le entrer ! *(Fausse sortie de Firmin. Vivement.)* Non ! quand nous serons partis ! *(À Bois-d'Enghien.)* Venez, venez… passons par là !

BOIS-D'ENGHIEN : Pourquoi ?

DE CHENNEVIETTE : Parce que !… nous gênons !… nous sommes de trop !…

BOIS-D'ENGHIEN : Hein !… est-ce que ce serait… ?

DE CHENNEVIETTE : Parfaitement !… C'est l'occasion ! là !

BOIS-D'ENGHIEN : Fichtre !… Filons !

Ils s'esquivent furtivement par le fond, comme deux complices.

MARCELINE, *entrant de droite au moment où Firmin se dispose à faire entrer le général* : Qui est-ce qui a sonné, Firmin ?

FIRMIN : Le général Irrigua, Mademoiselle !

MARCELINE : Le général ! vite ! faites-le entrer et allez prévenir ma sœur.

Elle descend entre le piano et le canapé.

FIRMIN : Si Monsieur veut entrer…

LE GÉNÉRAL : Bueno ! Yo entre !…

Il entre suivi d'Antonio portant deux bouquets, un énorme et l'autre tout petit ; il tient ce dernier derrière son dos.

MARCELINE, *faisant une révérence* : Général !

LE GÉNÉRAL, *la reconnaissant* : Ah ! madame la sor ! Yo souis bieng la vôtre ! *(Appelant Firmin.)* Carçonne[1] ! *(Firmin ne répond pas. Élevant la voix.)* Carçonne !… Valé dé pied !

FIRMIN, *redescendant* : Ah ! c'est moi… ?

LE GÉNÉRAL : Natourellement, c'est vous ! ça n'est pas moi ! *(À part.)* Qué bruta este hombre[2] ! *(Haut.)* Allez dire mâdâme la maîtresse, yo souis là !

FIRMIN : Oui, Monsieur ! *(À part, en se dirigeant vers la chambre de Lucette.)* C'est un général auvergnat, ça ! *(Haut, apercevant Lucette qui sort de sa chambre.)* Ah ! voilà Madame !

Il sort au fond.

LE GÉNÉRAL, *à Lucette qui s'arrête étonnée en voyant le général* : Elle ! Ah ! Mâdâme, cette chour est la plouss belle dé ma vie !

LUCETTE, *interrogeant du regard* : Pardon, Monsieur… ?

MARCELINE, *le présentant* : Le général Irrigua, Lucette.

LE GÉNÉRAL, *s'inclinant* : Soi-même !

LUCETTE (1) : Ah ! Général, je vous demande pardon ! *(Saluant Antonin, au fond n° 2.)* Monsieur !...

LE GÉNÉRAL (3), *redescendant un peu* : C'est rienne ! Moun interprète !

LUCETTE : Général, je suis ravie de faire votre connaissance !

LE GÉNÉRAL : Ah ! lé ravi il est pour moi, Mâdâme ! *(À Antonio.)* Antonio... les bouquettes... *(Antonio passe le gros bouquet, sans laisser voir le petit, à Lucette.)* Permettez-moi quelques flors môdiques qué yo vous prie, qué... qué yo vous offre !

LUCETTE, *prenant le bouquet* : Ah ! Général !

LE GÉNÉRAL, *prenant le bouquet minuscule que lui tend Antonio et le présentant à Marceline* : Et... yo l'ai pensé aussi à la sor !

MARCELINE, *prenant le bouquet* : Pour moi ?... oh ! Général, vraiment !

LE GÉNÉRAL, *à Marceline* : Il est plouss pétite qué l'autre... mais il est plouss portatif !... *(À Antonio.)* Antonio, allez attendre à ma dispositione dans la vestiboule !

ANTONIO : Buéno !

Il sort.

LUCETTE : Que c'est aimable à vous !... Justement, j'adore les fleurs !

LE GÉNÉRAL, *galamment* : Qué né lé souis-je !...

MARCELINE, *respirant le parfum de son bouquet et minaudant. Au général* : Moi aussi, je les adore...

LE GÉNÉRAL, *par-dessus son épaule* : Oui, mais yo n'ai dit ça qué pour Madame.

LUCETTE, *qui a enlevé les épingles qui fermaient le bouquet, passant au 2* : Oh ! vois donc ! Marceline ! Est-ce beau ?

LE GÉNÉRAL : Cé lé sont vos souchèttes qué yo mets à vos pieds.

LUCETTE, *riant* : Mes sujettes ?...

LE GÉNÉRAL : Bueno... cé lé sont des rosses qué yo mets aux pieds dé la reine des rosses !

LUCETTE ET MARCELINE, *minaudant* : Aah !

LE GÉNÉRAL, *content de lui* : C'est oun mott !

LUCETTE : Vous êtes galant, Général !

LE GÉNÉRAL : Yo fait cé qu'onn peut !

MARCELINE, *à part* : C'est égal, il ferait bien de prévenir qu'il a de l'accent !

LUCETTE, *à Marceline* : Laisse-nous, Marceline !

MARCELINE : Moi ?

LE GÉNÉRAL, *avec un geste de grand seigneur* : Laisse-nous... la sor !...

MARCELINE : Hein !

LE GÉNÉRAL, *très poli mais sur un ton qui n'admet pas de réplique* : Allez-vous-s'en !... mamoisselle !

Il passe au deux, derrière Lucette.

MARCELINE : Ah ? bon !... *(À part.)* Oh ! c'est un sauvage !

Elle sort par la droite; pendant ce temps, Lucette met le bouquet dans le vase qui est sur la console. — Le général est remonté au-dessus du canapé et attend que Marceline soit partie.

LE GÉNÉRAL, *brusquement, à Lucette qui est revenue à droite de la table* : Vouss ! C'est vouss ! qué yo souis là… près de vouss… ounique !

LUCETTE, *s'asseyant à droite de la table* : Asseyez-vous donc, je vous en prie !

LE GÉNÉRAL, *avec passion* : Yo no pouis pas !

LUCETTE, *étonnée* : Vous ne pouvez pas ?

LE GÉNÉRAL, *même jeu* : Yo no pouis pas ! Yo souis trop émoute ! Ah ! quand yo recevous cette lettre de vouss ! Cette lettre ousqué il m'accordait la grâce dé… oune entrefou pour tous les deusses ! Ah ! Caramba ! caramba !… *(Ne trouvant pas de mot pour exprimer ce qu'il ressent.)* Qué yo no pouis dire.

LUCETTE : Eh ! qu'avez-vous, vous semblez ému ?

LE GÉNÉRAL : Yo le souis ! porqué yo vouss s'aime Loucette, et qué yo vois que yo souis là… tous les deusses… ounique ! *(Devenant entreprenant.)* Loucette !

LUCETTE, *vivement, se levant et passant à gauche de la table* : Prenez garde, Général, vous abordez là un terrain dangereux !

LE GÉNÉRAL, *descendant un peu à droite* : Eh ! yo n'ai pas peur lé dancher ! Dans mon pays yo l'étais ministre de la Gouerre !

LUCETTE, *redescendant en passant au-dessus de la table* : Vous !

LE GÉNÉRAL, *s'inclinant* : Soi-même !

LUCETTE : Ah ! Général… quel honneur… Un ministre de la Guerre !

LE GÉNÉRAL, *rectifiant* : Ess… Ess !

LUCETTE, *qui ne comprend pas* : Quoi « Ess » ?

LE GÉNÉRAL : Ess-ministre !… yo no le souis plus.

LUCETTE, *sur un ton de condoléance* : Ah ?… Qu'est-ce que vous êtes, alors ?

LE GÉNÉRAL : Yo souis condamné à morté[1].

LUCETTE, *reculant* : Vous ?

LE GÉNÉRAL, *avec un geste pour la rassurer* : Eh ! oui ! tout ça, porqué yo lo souis venou en France por achéter por moun gouvernement deusse courrassés, troiss croisseurs et cinq tourpilleurs.

LUCETTE, *ne saisissant pas le rapport* : Eh bien ?

LE GÉNÉRAL : Buéno ! yo les ai perdous au pacarat.

LUCETTE : Perdus au baccarat[2] !… *(Sur un ton de reproche.)* Oh ! Et comment avez-vous fait ?

LE GÉNÉRAL, *avec la plus naïve inconscience* : Yo l'ai pas ou de la chance, voilà !… au pacarat c'est touchours le même : quand yo l'ai houit, il a nef ! et porqué ça, yo l'ai perdou beaucoup de l'archent.

LUCETTE, *s'asseyant à droite de la table* : C'est mal, ça, Général.

LE GÉNÉRAL, *sur un ton dégagé* : Basta ! rienne pour moi ! yo l'ai touchours assez peaucoup, porqué yo pouisse la mettre à la disposition de usted.

LUCETTE : À ma disposition ?

LE GÉNÉRAL, *grand seigneur* : Toute !

LUCETTE : Mais à quel titre ?

LE GÉNÉRAL, *avec chaleur* : À la titre qué yo pouisse vous aimerr… porqué yo vouss s'aime, Lucette ! mon cœur elle est trop pétite pour contiendre tout ce que yo l'ai dé l'amour !… Par la charme qu'elle est à vouss, vous m'avez priss… vous m'avez… vous m'avez… *(Changeant de ton.)* Pardon… oun moment… oun moment.

Il remonte au fond.

LUCETTE, *à part* : Eh bien ! où va-t-il ?

LE GÉNÉRAL, *ouvrant la porte et appelant* : Antonio ?

ANTONIO, *à la porte du vestibule* : Chénéral ?

LE GÉNÉRAL, *en espagnol* : Cómo se dice « subyugar » en francès ?

ANTONIO : « Subjuguer », Général.

LE GÉNÉRAL, *lui faisant signe qu'il peut retourner dans le vestibule* : Bueno ! gracias, Antonio !

ANTONIO : Bueno !

Il sort.

LE GÉNÉRAL, *à Lucette, reprenant brusquement sur le ton de la passion* : Vous m'avez « souchouqué » ; aussi tout ce qu'il est à moi est à vouss ! Ma vie, mon argent, chusqu'au dollar la dernière, chusqu'à la missère que yo l'aimerais encore porqu'elle venirait de vouss !

LUCETTE, *hochant la tête, pleine de doutes* : La misère ! on voit bien que vous ne savez pas ce que c'est !

LE GÉNÉRAL, *descendant à droite* : Oh ! pardonne ! yo le sais ! yo l'ai pas tuchurs été riche. Avant que yo le sois entré dans l'armée... comme chénéral ! yo l'avais pas de l'archent, quand yo l'étais professor modique et que yo l'ai dû pour vivre aller dans les fâmiles... où yo donnais des léçouns de francess.

LUCETTE, *retenant son envie de rire* : De français ? Vous le parliez donc ?

LE GÉNÉRAL, *bien naïvement* : Yo vais vous dire ; dans moun pays, yo le parlais bienn ; ici, yo no sais porqué, yo le parlé mal.

LUCETTE, *riant* : Ah ! c'est ça ! asseyez-vous donc !

LE GÉNÉRAL, *exalté* : Yo ne pouis pas ! Defant vous, yo no pouis être assisse qu'à chénoux. *(Il s'agenouille devant elle.)* Fous l'est la divinité qué l'on s'achénouille là dévant... oun sainte qué l'on adore...

LUCETTE : Ah ! Général !

LE GÉNÉRAL, *froidement* : Où il est votre chambre ?

LUCETTE, *suffoquée* : Hein ?

LE GÉNÉRAL, *avec passion* : Yo diss : où il est votre chambre ?

LUCETTE : Mais, Général, en voilà une question !

LE GÉNÉRAL : C'est l'amor qu'il parle par ma

bouche porqué c'est là qué yo voudrais vivre ! Porqué la champre de la peauté qué l'on l'aime, il est comme le… comme le… *(Se levant.)* Pardon, oun moment, oun moment !

LUCETTE, *à part, railleuse* : Ah ? bon !

LE GÉNÉRAL, *qui est remonté et a ouvert la porte du fond* : Antonio ?

ANTONIO, *comme précédemment* : Chénéral ?

LE GÉNÉRAL : Cómo se dice « tabernaculo » en francès ?

ANTONIO : Bueno ! « tabernacle », Chénéral.

LE GÉNÉRAL : Bueno ! gracias, Antonio.

ANTONIO : Bueno !

Il sort.

LE GÉNÉRAL, *allant sans mot dire et bien froidement se remettre aux genoux de Lucette, comme il était précédemment, puis une fois installé, éclatant* : Il est comme la taberlac, où il est la relichion, la déesse qu'on l'adore.

LUCETTE, *posant sa main droite, qui a la bague, sur la main du général qui tient sa main gauche* : Ah ! Général, vous savez tout racheter par une galanterie.

LE GÉNÉRAL, *qui regarde la bague au doigt de Lucette* : Tuchurs ! *(Se levant.)* Ça même fait qué yo pense qué yo vois qué vous l'avez là à lé doigt oun bâgue.

LUCETTE, *d'un air détaché, se levant* : Une bague ! Ah ! là… Ah ! oui ! oh !

LE GÉNÉRAL : Elle est cholie, fous troufez ?

LUCETTE, *même jeu, descendant un peu à gauche* : Pfeu ! c'est une babiole !

LE GÉNÉRAL, *hochant la tête* : Oun bâpiole ?... Qu'est-ce que c'est oun bâpiole ?

LUCETTE : Oui, enfin une bagatelle !

LE GÉNÉRAL, *même jeu* : Oun bâcatil... Si... si !... *(Changeant de ton.)* Pardon, oun moment... oun moment ! *(Allant au fond et appelant.)* Antonio ?

ANTONIO, *comme précédemment* : Chénéral ?

LE GÉNÉRAL : Cosa significa « oun bâcatil » en espagnol ?

ANTONIO : Oun bâcatil ? Qu'est-ce que c'est « oun bâcatil » ?

LUCETTE, *sans bouger de place* : Non, je dis au Général que c'est une bagatelle.

ANTONIO, *comprenant* : Ah ! « une bagatelle ! » *(Traduisant.)* La Señora dice a usted que es... poca cosa.

LE GÉNÉRAL, *comme s'il n'avait jamais connu que ce mot-là* : Ah ! si ! si... oun bâcatil... Si... si... *(À Antonio et lui faisant signe de sortir.)* Bueno ! bueno ! bueno ! gracias, Antonio !

ANTONIO : Bueno !

Il sort.

LE GÉNÉRAL, *descendant, à Lucette, même jeu* : Oun bâcatil, si, si !

LUCETTE : J'y tiens surtout à cause du souvenir qui s'y rattache.

LE GÉNÉRAL, *ému* : Ah ! c'est bienne, Loucette.

LUCETTE : Elle me vient de ma mère !

LE GÉNÉRAL, *ahuri* : Qu'ouss qué tou dis ?

LUCETTE, *surprise* : Général ?

LE GÉNÉRAL : La bâgue là ! ça l'est moi qué yo l'ai envoyée cet matin dans oun bouquette.

LUCETTE : Vous ?

LE GÉNÉRAL : Natourellement.

LUCETTE, *passant à droite* : Hein, c'est lui ? c'est vous ? vous ? lui ?

LE GÉNÉRAL, *descendant au 1* : Bueno, yo diss !

LUCETTE, *à part* : Oh ! c'est trop fort !... et Bouzin, alors ?... Il a eu l'audace de... Oh ! c'est trop fort... Ah ! bien, attends, sa chanson ! non, cet aplomb !

LE GÉNÉRAL, *voyant son agitation* : Qu'oust-ce qué vous l'avez ?

LUCETTE : Rien ! rien !

LE GÉNÉRAL, *galamment, mais avec une pointe de raillerie* : Bueno, il vient donc pas la bague de la mère ?

LUCETTE : La bague, là... Oh ! pas du tout ! non ! je croyais que vous vouliez parler d'une autre... Oh ! celle-là, non, non, mais je ne savais pas que c'était vous que j'avais à en remercier.

LE GÉNÉRAL, *modeste* : Oh ! rienne du toute !... *(Gagnant la gauche et avec un geste de grand seigneur.)* C'est oun bâcatil. *(Revenant à elle.)* Et yo me permets d'apporter la bracélette qu'elle va avec.

Il offre un autre écrin qu'il tire de la poche d'un des pans de sa redingote.

LUCETTE, *prenant l'écrin* : Ah ! Général, vraiment vous me comblez ! mais qu'est-ce que j'ai pu faire pour mériter ?...

LE GÉNÉRAL, *très simple* : Yo vous s'aime ! voilà !

LUCETTE : Vous m'aimez ? *(Avec un soupir.)* Ah ! Général, pourquoi faut-il que cela soit... ?

LE GÉNÉRAL, *avec une logique sans réplique* : Porqué céla est.

LUCETTE : Non, non, ne dites pas ça !

LE GÉNÉRAL, *froidement décidé* : Yo lo disse !

LUCETTE, *lui tendant l'écrin qu'il vient de lui donner* : Alors, Général, remportez ces présents que je n'ai pas le droit d'accepter !

LE GÉNÉRAL, *repoussant l'écrin et haletant* : Porqué ? Porqué ?

LUCETTE : Parce que je ne peux pas vous aimer !

LE GÉNÉRAL, *bondissant* : Vous disse ?

LUCETTE, *courbant la tête* : J'en aime un autre.

Elle met sans affectation l'écrin dans sa poche[1].

LE GÉNÉRAL : Oun autre ! Vousse !... oun homme ?

LUCETTE : Naturellement.

LE GÉNÉRAL, *passant au 2* : Caramba !… Quel il est cet homme… que yo le visse… qué yo le sache…

LUCETTE : Général, calmez-vous.

LE GÉNÉRAL, *avec désespoir* : Ah ! oun mé l'avait bienn disse qu'il était oun homme à vouss, oun homme chôli.

LUCETTE : Oh ! oui, joli !

LE GÉNÉRAL : Mais yo l'avais cru qué nonn… porqué yo l'avais récevou votre lettre… et il essiste ! il essiste ! Oh ! Quel il est cet homme ?

LUCETTE : Voyons, Général, je vous en prie…

LE GÉNÉRAL, *avec un rugissement de rage* : Oh !

LUCETTE, *appuyant gentiment ses deux mains sur son épaule* : Qu'il vous suffise de savoir que si j'avais eu le cœur libre, je ne vous aurais préféré personne.

LE GÉNÉRAL, *avec un désespoir contenu* : Ah ! Loucette, qué vous mé donnez mal au cœur !

LUCETTE : Est-ce ma faute ? Voyez-vous, tant que je l'aimerai, je ne pourrai pas en aimer un autre.

LE GÉNÉRAL, *luttant un peu avec lui-même, puis avec résignation* : Bueno ! Combienne dé temps il faut à vous pour ça ?

LUCETTE, *avec passion* : Combien de temps ? Oh ! je l'aimerai tant qu'il vivra.

LE GÉNÉRAL, *très positif* : Bueno ! Yo so maintenant qué yo dois faire.

LUCETTE : Quoi ?

LE GÉNÉRAL, *même jeu* : Rienne ! Yo so.

LUCETTE, *à part, se rapprochant de la table* : Ah ! mon Dieu, il me fait peur !

SCÈNE XVII

LES MÊMES, BOIS-D'ENGHIEN, *puis* FIRMIN

On frappe à la porte de la salle à manger.

LUCETTE : Qu'est-ce que c'est ? Entrez.

BOIS-D'ENGHIEN, *entrouvrant la porte et contrefaisant sa voix* : On demande si Mme Gautier peut venir un instant.

LUCETTE, *qui a reconnu sa voix* : Hein ! Ah ! oui ! oui, tout de suite. *(À part.)* L'imprudent !

LE GÉNÉRAL, *qui est remonté sans bruit en passant derrière le canapé, ouvrant brusquement la porte dont Bois-d'Enghien tient le bouton de l'autre côté. Brutalement* : Qu'est-ce qué vous voulez, vous ?

BOIS-D'ENGHIEN, *qui a été amené en scène, entraîné par le bouton de la porte, très piteux et voulant être aimable, faisant des courbettes* : Bonjour, Monsieur.

LUCETTE, *à part* : Ah ! mon Dieu !... *(Vivement, présentant Bois-d'Enghien.)* Monsieur de Bois-d'Enghien, Général, un camarade.

LE GÉNÉRAL, *méfiant* : Ah ?

BOIS-D'ENGHIEN (2) : Un camarade, c'est le mot, un camarade, pas davantage.

On sonne.

LE GÉNÉRAL (3), *défiant* : Oun câmârâte… pour rienne du toute ?

LUCETTE (1) : Mais je crois bien pour rien du tout.

BOIS-D'ENGHIEN : Oh ! là ! là !… et même moins.

LE GÉNÉRAL : Bueno, alors, si oun câmârâte…

Il lui serre la main et redescend.

FIRMIN, *venant de la salle à manger (2), à Lucette (1)* : Madame ?

LUCETTE : Quoi ?

FIRMIN : C'est cette dame qui est déjà venue aujourd'hui pour demander à Madame de chanter dans une soirée : je l'ai introduite dans la salle à manger.

LUCETTE : Ah ! bon ! j'y vais… *(Firmin sort par le vestibule, en laissant la porte grande ouverte.)*… Vous permettez, Général, un instant.

LE GÉNÉRAL, *s'inclinant* : Yo vous prie !…

Lucette remonte, le général gagne l'extrême droite.

BOIS-D'ENGHIEN, *vivement et bas à Lucette* : Eh ! dis donc, mais c'est que j'ai à m'en aller, moi !

LUCETTE : Oh ! bien, attends un peu… c'est l'affaire de cinq minutes, cause avec le général.

BOIS-D'ENGHIEN : Bon ! mais vite, hein ?

LUCETTE : Oui !

Elle entre dans la salle à manger.

SCÈNE XVIII

LE GÉNÉRAL, BOIS-D'ENGHIEN, *puis* LUCETTE, LA BARONNE

Un temps pendant lequel les deux personnages échangent de petits rires comme des gens qui n'ont trop rien à se dire.

LE GÉNÉRAL, *rompant le silence* : Il est très amboulatoire, mamoisselle Gautier.

BOIS-D'ENGHIEN : Très « amboulatoire », comme vous dites, Général !

LE GÉNÉRAL, *se rapprochant de Bois-d'Enghien* : Alors, vous l'êtes avec Loucette à la concerte, la même ?

BOIS-D'ENGHIEN : Comment, je suis…

LE GÉNÉRAL : Bueno, puisqué vous l'est câmârâte, yo demande si vous l'est de la café-concerte la même ?

BOIS-D'ENGHIEN : Hein ? Oui, oui, parfaitement… de la même… *(Se reprenant.)* De la même !... *(Même jeu.)* Du même. *(À part.)* Cré nom d'un chien !

LE GÉNÉRAL, *affirmatif* : Vous l'est ténor ?

BOIS-D'ENGHIEN : Ténor, c'est ça... vous avez mis le doigt dessus. *(À part.)* Pendant que j'y suis, n'est-ce pas ?

LE GÉNÉRAL : Yo l'ai visse ça à la tête.

BOIS-D'ENGHIEN : Ah ! vraiment ? vous êtes physionomiste !

Chantonnant.

Mignonne, quand la nuit descendra sur la terre...
Et que le rossignol viendra chanter le soir[1]...

LE GÉNÉRAL, *faisant la grimace et à part* : Oh ! ça l'est oun chantor dé bouilli-bouilli !...

BOIS-D'ENGHIEN, *toussant* : Hum ! hum ! Beaucoup de rhumes, cette année.

LE GÉNÉRAL, *lui faisant signe d'approcher* : Et dissemoi, moussié Bodégué...

BOIS-D'ENGHIEN, *rectifiant* : Non, pardon : « Bois-d'Enghien ! »

LE GÉNÉRAL : Bueno ! yo disse... « Bodégué... »

BOIS-D'ENGHIEN, *en prenant son parti* : Oui, enfin !

LE GÉNÉRAL, *sur un ton confidentiel, passant son bras dans le sien* : Vous... le connaît bien mamoiselle Gautier ?

BOIS-D'ENGHIEN, *un peu fat* : Mais, dame... oui !

LE GÉNÉRAL : Vous pouvé mé dire alors... elle paraisse, il a oun amant.

BOIS-D'ENGHIEN : Hein ?

LE GÉNÉRAL, *retirant son bras* : Yo lo sais… elle me l'a disse.

BOIS-D'ENGHIEN : Ah ? alors… *(À part.)* Tiens, moi qui faisais la bête pour qu'il ne sache pas !

LE GÉNÉRAL : Oun homme très chôli.

BOIS-D'ENGHIEN, *minaudant* : Mon Dieu, vous savez, je suis bien mal placé…

LE GÉNÉRAL : Mais yo visse pas des l'hommes chôlis, ici.

BOIS-D'ENGHIEN, *à part* : Merci !

LE GÉNÉRAL : Buéno ! Quel il est cet homme, puisque vous le connaît ?

BOIS-D'ENGHIEN, *à part* : Ah ! et puis, après tout, puisqu'il y tient tant… *(Haut.)* Vous voulez absolument que je vous le dise ?

LE GÉNÉRAL : Yo vous prie…

BOIS-D'ENGHIEN, *avec fatuité* : Eh ! bien, c'est… *(Riant.)* Ah ! ah ! ah ! vous voudriez bien le savoir.

LE GÉNÉRAL, *riant aussi* : Si !… *(Sérieux.)* Porqué yo lo touerai !

BOIS-D'ENGHIEN, *ravalant ce qu'il allait dire, et à part, gagnant la gauche* : Me tuer ! Sapristi ! *(Riant au général pour dissimuler son émotion.)* Ah ! ah ! ah ! elle est bonne !

Le général rit aussi par complaisance.
Ils sont tous les deux à gauche. Pendant ce qui précède, on a vu par la porte du vestibule laissée ouverte, et sans être aperçue des deux

hommes, passer la baronne reconduite par Lucette.

LUCETTE, *dans le vestibule, une fois la baronne hors de vue du public* : C'est entendu, Madame, à ce soir !

On l'entend fermer la porte, invisible au public, du vestibule sur l'escalier.

LE GÉNÉRAL, *s'arrêtant de rire et revenant à son idée fixe* : Bueno, c'est… ?

BOIS-D'ENGHIEN, *apercevant Lucette* : Hein ? euh ! chut ! oui, tout à l'heure !

LE GÉNÉRAL : Ah ! bueno ! bueno !…

Il gagne la droite.

BOIS-D'ENGHIEN, *à part* : Merci, me tuer !

LUCETTE, *entrant avec des cartes dans la main et tout en se dirigeant vers sa chambre* : Eh bien ! je chante dans le monde, moi, ce soir… *(Au général.)* Je vous demande pardon, Général, un moment !

LE GÉNÉRAL, *s'inclinant* : Yo vous prie…

LUCETTE, *au moment d'entrer dans sa chambre, redescendant un peu et à Bois-d'Enghien* : Tu ne veux pas venir m'entendre ? J'ai des invitations en blanc.

BOIS-D'ENGHIEN : Non, ce soir, je ne peux pas ! *(À part.)* J'ai autre chose à faire.

LUCETTE : Et vous, Général ?

LE GÉNÉRAL : Oh ! si ! avec plaissir !

Il remonte.

LUCETTE : À la bonne heure ! Tenez, Général, voilà une carte.

Elle lui donne une carte.

LE GÉNÉRAL : Muchas gracias !

Il met la carte dans sa poche.

LUCETTE : Je reviens !

Elle sort.

BOIS-D'ENGHIEN, *à part, près et à gauche de la table* : C'est heureux qu'il m'ait prévenu tout de même… moi qui allais lui dire…

LE GÉNÉRAL, *redescendant vers Bois-d'Enghien* : Bueno, comment elle s'appelle ?

BOIS-D'ENGHIEN : Qui « elle » ?

LE GÉNÉRAL : L'hômme.

BOIS-D'ENGHIEN, *ahuri* : Quel homme ?

LE GÉNÉRAL : L'hômme, il est chôli ?

BOIS-D'ENGHIEN, *qui joue machinalement avec l'écrin de la bague laissé sur la table* : Ah ! oui… euh ! *(Regardant l'écrin et avec aplomb.)* Bouzin… il s'appelle Bouzin !

LE GÉNÉRAL : Poussin ?… Bueno ! Poussin, c'est oun hômme morte !

Il gagne la droite. On sonne.

BOIS-D'ENGHIEN, *à part* : Brrrou ! il me donne froid dans le dos !

SCÈNE XIX

LES MÊMES, FIRMIN, BOUZIN

FIRMIN, *annonçant* : Monsieur Bouzin !

LE GÉNÉRAL : Hein !

BOIS-D'ENGHIEN : Lui ! Fichtre !

Firmin sort.

BOUZIN, *entre du fond, à droite. Très jovial, posant son parapluie contre la chaise qui est au-dessus du canapé* : Je rapporte la chanson… Lucette Gautier n'est pas là ?

BOIS-D'ENGHIEN, *voyant le général qui remonte vers lui, se précipitant entre eux* : Hein ! non… oui…

Pendant tout ce qui suit, Bois-d'Enghien effaré, ne sachant que faire et n'osant rien dire, essaye toujours de se mettre entre le général et Bouzin, tandis que Bouzin, au contraire, fait tout ce qu'il peut pour aller au général.

LE GÉNÉRAL, *à Bouzin* : Pardon !… Monsieur Poussin, eh ?

BOUZIN, *très aimable* : Oui, Monsieur, oui.

BOIS-D'ENGHIEN, *affolé* : Oui, c'est Bouzin, là, c'est Bouzin !

LE GÉNÉRAL : Enchanté qué yo vous vois !

BOUZIN, *même jeu* : Mais, Monsieur, croyez que la réciproque…

LE GÉNÉRAL : Donnez-moi votre carte !…

BOUZIN : Comment donc, mais avec plaisir.

Il cherche une carte dans sa poche, tout en écartant Bois-d'Enghien pour se rapprocher du général.

BOIS-D'ENGHIEN, *résigné, passant au 1* : Ah ! mon Dieu !

LE GÉNÉRAL : Voici le mienne !

Il lui tend sa carte. Bouzin lui remet la sienne.

BOUZIN, *lisant* : Général Irrigua…

LE GÉNÉRAL, *s'inclinant* : Soi-même !

BOUZIN, *s'inclinant également* : Ah ! Général !…

LE GÉNÉRAL : Et maintenant, yo vous prie… vous l'est lipre demain à le matin ?

BOUZIN, *cherchant* : Demain ?… Oui, pourquoi ?

LE GÉNÉRAL, *se montant petit à petit* : Porqué yo veux vous amener à la terrain… porqué yo veux votre tête ! *(Le saisissant au collet.)* Porqué yo veux vous tuer !

Musique de scène[1].

BOUZIN : Ah ! mon Dieu ! qu'est-ce qu'il dit ?

BOIS-D'ENGHIEN, *suppliant* : Général…

LE GÉNÉRAL, *secouant Bouzin comme un prunier* :

Porqué yo n'aime pas qu'il est oun paquette dans mes roues… et quand il est oun ostacle, yo saute pas par-dessous !… Yo le supprime.

Il le fait pirouetter en le tenant toujours au collet, ce qui le fait passer à sa gauche.

BOUZIN : Ah ! mon Dieu, voulez-vous me lâcher ? Voulez-vous me lâcher ?

BOIS-D'ENGHIEN, *essayant de les séparer* : Général ! du calme !

LE GÉNÉRAL, *le repoussant de la main droite tout en secouant Bouzin de la main gauche* : Laisse-moi tranquille, Bodégué. *(À Bouzin, en le secouant.)* Et puis, vous l'est pas chôli du tout, vous savez ! Vous l'est pas chôli !

BOUZIN : Au secours ! au secours !

Tumulte général, cris, etc.

SCÈNE XX

LES MÊMES, LUCETTE

LUCETTE, *accourant au bruit* : Qu'est-ce qu'il y a ? Qu'est-ce qui se passe ?

BOUZIN, *que le général a lâché en le repoussant, à l'entrée de Lucette, reprenant son équilibre* : Ah ! Madame, c'est Monsieur !

LUCETTE : Bouzin ici ! Sortez, Monsieur, sortez !

Le général remonte au 3 au-dessus de Lucette.*

BOUZIN : Hein ! mais comment : j'apportais la chanson.

LUCETTE : Eh bien ! remportez-la votre chanson ! Elle est stupide votre chanson !

BOIS-D'ENGHIEN : Stupide !

LE GÉNÉRAL, *avec conviction sans même savoir de quoi il s'agit* : Il est stoupide ! la chanson, il est stoupide !

LUCETTE, *indiquant la porte* : Sortez, Monsieur ! allez, sortez !

BOUZIN : Moi !

BOIS-D'ENGHIEN : On vous dit de sortir, sortez !

LE GÉNÉRAL : Allez, Poussin ! allez-vous-en !

TOUS, *marchant sur lui* : Allez-vous-en ! allez-vous-en ! allez-vous-en !

BOUZIN, *sortant affolé* : C'est une maison de fous !

Tout ce qui précède doit être joué très vite, pour ne pas ralentir le mouvement de la fin de l'acte.

LUCETTE, *redescendant un peu derrière Bois-d'Enghien, qui est redescendu également* : Non, on ne se moque pas du monde comme cet homme-là !

* Bois-d'Enghien (1), Lucette (2), le général (3), forment une ligne en sifflet allant de la table de gauche au milieu de la scène, direction de la porte de sortie. Bouzin est au 4 devant le guéridon.

LE GÉNÉRAL, *redescendant aussi* : Merci, Loucette, qué vous l'avez fait pour môi !

LUCETTE : Quoi donc ?

LE GÉNÉRAL : Qué vous avez chassé cet hômme !

LUCETTE : Ah ! bien, si ce n'est que ça, je vous assure qu'il ne viendra plus !

LE GÉNÉRAL, *lui baisant la main* : Merci !

Bouzin, pendant ce qui précède, est rentré à pas de loup pour chercher son parapluie qu'il a laissé en se sauvant ; mais, dans son émotion, il s'empêtre dans les meubles et fait tomber la chaise.

TOUS, *se retournant et apercevant Bouzin* : Encore lui !

BOUZIN, *d'une voix étranglée de frayeur* : J'avais oublié mon parapluie !

Il se sauve.

TOUS : Allez-vous-en, Bouzin, allez-vous-en ! allez-vous-en ! allez-vous-en !

RIDEAU

ACTE II

La chambre à coucher de Mme Duverger, dans son hôtel. Grande chambre carrée, riche et élégante, ouvrant au fond par une grande porte à quatre vantaux sur les salons. (Les deux vantaux extrêmes sont fixes et mobiles, à volonté.) À gauche, 3e plan, porte à un battant. À droite, 1er plan, autre porte également à un battant. À gauche, 2e plan, l'emplacement d'un lit de tête (le lit a été enlevé pour la circonstance), il ne reste que le baldaquin et les rideaux du lit, à la place duquel on a mis un fauteuil. Au fond, face au public et à gauche de la porte d'entrée, grande armoire de style, vide. À droite de la porte d'entrée, presque entièrement dissimulée par un paravent à six feuilles (la dernière feuille fixée à l'angle de droite du décor), une toilette de dame avec sa garniture. Devant le paravent, une table carrée, une chaise derrière la table. Une chaise contre le mur de chaque côté de la porte de droite. À gauche, au milieu de la scène une chaise longue placée presque perpendiculairement à la scène, la tête vers le fond, le pied côté du spectateur (le dossier de la chaise longue doit être très peu élevé) ; à gauche également, presque au pied de la chaise longue, un petit guéridon sur lequel est un timbre électrique. À gauche du baldaquin du lit une chaise volante. Du milieu du panneau compris sous le baldaquin, émerge une tulipe électrique qui permet en temps ordinaire de lire dans le lit. Un lustre allumé au milieu de la pièce. Au fond, dans le second salon, face au public, une cheminée. Dans cet acte, tout le monde est en tenue de soirée.

SCÈNE PREMIÈRE

VIVIANE,
MISS BETTING, *en tenue de ville,*
puis LA BARONNE

VIVIANE, *près du guéridon, à Miss Betting qui, à genoux près d'elle, achève de lui lacer son corsage* : Will it soon be done, Miss ?

MISS BETTING : A minute, it is ready !... A pin please.

VIVIANE, *lui donnant une épingle* : Again ! Then you wish my lover to pick his fingers.

MISS BETTING, *moitié riant, moitié grondant* : Oh ! Miss Viviane, shocking !

Elles rient.

LA BARONNE, *entrant du fond* : Eh, bien ! Viviane, tu es prête ?

VIVIANE* : Mais quand Miss aura fini de m'épingler. Je ne sais pas si elle conspire contre mon fiancé, mais je suis plus hérissée de pointes qu'un vieux mur garni de tessons de bouteilles… *(Étourdiment.)* On dirait vraiment qu'elle craint l'escalade !

LA BARONNE, *estomaquée* : Qu'est-ce que tu dis là ? malheureuse enfant !… Tu emploies des comparaisons !…

VIVIANE, *naïvement* : Je ne vois pas ce que tu trouves de mal dans ce que j'ai dit !

LA BARONNE, *à part, avec un sourire indulgent* : C'est vrai !… Pauvre petite !

VIVIANE, *changeant de ton* : Oh ! maman, tu devrais bien dire à Miss que ce n'est pas gentil à elle de ne pas rester pour mon contrat.

LA BARONNE : Comment, elle n'y assistera pas ?

VIVIANE : Non ! Moi qui aurais tant voulu lui montrer mon fiancé !…

LA BARONNE, *à Miss qui vient de se lever, sur un ton aimablement grondeur* : Oh ! mais pas du tout, Miss, il faut que vous restiez pour notre soirée.

MISS, *souriant* : What ?

LA BARONNE, *essayant de se faire comprendre* : Non… Je dis : « Miss, il faut que vous restiez pour notre soirée. » *(Voyant que Miss sourit sans comprendre — avec l'accent anglais.)* Il faut, vous rester… pour soirée de nous !… Soirée… danse… danse !

* V. — M.B. — La B..

(Elle esquisse le mouvement de danser. Miss la regarde en souriant, l'air hébété. Au public.) Elle n'a pas saisi une syllabe ? Ce n'est pourtant pas difficile à comprendre ce que je lui dis !

MISS, *souriant toujours* : What does that mean ?

LA BARONNE, *abandonnant la partie à Viviane* : Oh ! explique-lui, toi ! moi j'y renonce.

VIVIANE, *à Miss, en anglais* : Mamma wishes you to say if you really can not stay to our soirée [1].

MISS, *à la baronne et très rapidement* : Oh ! no ! and I much regret it, for it would have given me the pleasure of getting acquainted with Miss Vivian's lover ; but my mother is poorly, and I promised to spend the evening with her [2].

LA BARONNE, *qui a écouté cette avalanche de paroles avec un sérieux comique, accompagné de hochements de tête comme si elle comprenait* : Oui, oui, oui ! c'est pas la peine de me dire tout ça à moi, je ne comprends pas un mot ! *(À Viviane en riant.)* Qu'est-ce qu'elle a dit ?

VIVIANE : Elle dit qu'elle regrette bien, parce qu'elle aurait pu faire la connaissance de mon fiancé, mais qu'elle est obligée d'aller retrouver sa mère qui est souffrante.

LA BARONNE, *avec intérêt* : Ah ! oui, oui… yes, yes !… maman malade… ill… ill…

MISS, *désolée* : Oh ! yes… and I am very anxious about her : at her age, the least illness can become serious [3].

LA BARONNE, *qui n'a pas compris un mot* : Oui,

oui, yes, yes !... *(Au public avec pleine conviction.)* Et l'on dit que le français est une langue difficile !...

VIVIANE, *à Miss qui achève de disposer sa toilette* : Are you ready, Miss ?

MISS, *à Viviane* : Now it is ready.

VIVIANE, *passant au 2* : Ah ! c'est pas malheureux ! Thank you, Miss.

MISS : Aoh ! you are quite lovely so !...

VIVIANE : Oui, je suis chic !

MISS, *avec conviction* : Aoh ! yes !... tchic ! *(Changeant de ton.)* Now, you don't want me any more, will you ask your mother if I may go ?

LA BARONNE : Qu'est-ce qu'elle dit, « mégo » ?

VIVIANE : Miss te demande si elle peut s'en aller.

LA BARONNE : Oh ! si elle veut. Ah ! seulement, dis-lui que je la prie de venir demain de bonne heure, parce que je ne pourrai pas te conduire comme à l'habitude à ton cours de chant... chez M. Capoul, et je lui demanderai de t'accompagner à ma place.

VIVIANE : Bon ! *(À Miss.)* Yes, you can ! mamma only begs you to come early tomorrow to take me to my singing lesson, to mister Capoul ?

MISS, *à la baronne* : Oh ! yes, with pleasure ! Good bye, Miss.

VIVIANE, *passant au 1, et s'asseyant au pied de la chaise longue* : Good bye.

MISS, *tout en remontant* : Good bye, Madame.

LA BARONNE, *qui est remontée* : Goud bai ! Goud bai ! *(À part, redescendant.)* Eh ! mais... Je commence à savoir quelques mots, moi !

Sortie de Miss par le fond.

SCÈNE II

VIVIANE, LA BARONNE*

LA BARONNE, *allant à Viviane, la regarde avec tendresse, l'embrasse, puis s'asseyant, près d'elle, sur la chaise longue*[1] : Eh bien ! ma chérie, nous voilà arrivées au grand jour !

VIVIANE, *indifférente* : Mon Dieu, oui !...

LA BARONNE, *le bras passé autour de la taille de sa fille* : Tu es contente de devenir la femme de M. de Bois-d'Enghien ?

VIVIANE : Moi ?... Oh ! ça m'est égal !

LA BARONNE, *ahurie* : Comment, ça t'est égal ?

VIVIANE, *positive* : En somme, ça n'est jamais que pour en faire mon mari !

LA BARONNE : Eh bien ! mais... il me semble que ça suffit ! Ah ! ça, pourquoi crois-tu donc qu'on se marie ?

VIVIANE : Oh ! pour faire comme tout le monde ! parce qu'il arrive un temps où, comme autrefois

* V. — La B.

on a quitté sa bonne pour prendre une gouvernante, on doit quitter sa gouvernante pour prendre un mari.

LA BARONNE, *renversée* : Oh !

VIVIANE : C'est une dame de compagnie... homme, voilà !

LA BARONNE : Mais il y a autre chose !... Et la maternité, qu'est-ce que tu en fais ?...

VIVIANE : Ah ! oui, la maternité, ça c'est gentil !... mais... qu'est-ce que le mari a à faire là-dedans ?

LA BARONNE : Comment, « ce qu'il a à faire » ?

VIVIANE, *très logique* : Mais dame ! est-ce qu'il n'y a pas un tas de demoiselles qui ont des enfants et un tas de femmes mariées qui n'en ont pas !... Par conséquent, si c'était le mari... n'est-ce pas ?...

LA BARONNE, *va pour lui répondre, puis ne trouvant rien, se levant et gagnant la droite* : Elle est déconcertante ! *(À Viviane qui s'est levée.)* Enfin, en quoi ne te plaît-il pas, M. de Bois-d'Enghien ? Un beau nom ?...

VIVIANE, *gagnant l'extrême gauche et avec une moue* : Pffeu ! noblesse de l'Empire !

LA BARONNE : Il est bien de sa personne !...

VIVIANE, *remontant jusqu'au-dessus de la chaise longue* : Oh ! pour un mari, on est toujours assez bien !... Regarde dans n'importe quel ménage, quand il y a deux hommes, c'est toujours le mari qui est le plus laid... alors !...

LA BARONNE, *qui est remontée parallèlement à sa*

fille, redescend : Mais, ça n'est pas obligatoire ! Et puisqu'on se marie, autant chercher dans son époux son idéal complet, quand ça ne serait que pour éviter de le compléter ensuite !

VIVIANE, *allant à elle* : Oh ! bien, oui ! mais comme moi, mon idéal d'homme, c'est justement toujours l'homme que je ne peux pas épouser…

LA BARONNE : Pourquoi ça ?

VIVIANE : Parce que tu ne voudrais pas !… Moi, j'aurais désiré un homme très en vue…

LA BARONNE : Eh bien ! mais je comprends très bien ça… un artiste, par exemple.

VIVIANE : Non… un mauvais sujet.

LA BARONNE, *bondissant* : Qu'est-ce que tu dis ?

VIVIANE : Un homme comme M. de Frenel, tiens ! *(Mouvement de la baronne.)* Je le cite comme j'en citerais tant d'autres. Tu sais, celui que nous avons vu l'été dernier à Trouville ! Ah ! voilà un mauvais sujet qui m'aurait convenu.

LA BARONNE : Oh ! l'horreur !… Un garçon qui a une réputation !…

VIVIANE, *appuyant sur le mot* : Détestable ! oui, maman… C'est ça qui vous pose un homme…

LA BARONNE : Oh !

VIVIANE : Un monsieur dont on pouvait citer toutes les maîtresses !

LA BARONNE, *scandalisée* : « Les maîtresses » ! Viviane, où as-tu appris à prononcer ces mots-là ?

VIVIANE, *très naturellement* : Dans l'histoire de

France, maman. *(Récitant.)* Henri IV, Louis XIV, Louis XV, 1715-1774.

LA BARONNE, *avec candeur* : Oh ! des rois ! donner un pareil exemple à des jeunes filles !

VIVIANE : Il paraît qu'il y en a même trois qui sont mortes pour lui !

LA BARONNE : Pour Louis XV ?

VIVIANE : Mais non !... pour M. de Frenel... deux d'un coup de revolver et la troisième d'indigestion. *(Changement de ton.)* Aussi, ce que toutes les femmes couraient après lui, à Trouville !...

LA BARONNE, *la ramenant à elle au moment où elle va pour gagner la gauche* : Mais toi, toi !... ça ne me dit pas comment il t'a plu ?

VIVIANE : Tiens ! c'est quand j'ai vu que toutes les femmes en avaient envie ! c'est comme en tout, ça ! Pourquoi désire-t-on une chose ? C'est parce que les autres la désirent... Qu'est-ce qui fait la valeur d'un objet ? c'est l'offre et la demande. Eh bien ! pour M. de Frenel...

LA BARONNE : Il y avait beaucoup de demandes ?...

VIVIANE : Tu y es ! Alors je me disais : « Voilà comme j'aimerais un mari ! » parce qu'un mari comme ça, c'est flatteur ! ça devient comme une espèce de légion d'honneur ! Et l'on est doublement fier de l'obtenir : d'abord pour la distinction dont on est l'objet, et puis... parce que ça fait rager les autres !...

LA BARONNE : Mais c'est de la vanité, ça ! ce n'est pas de l'amour !...

VIVIANE : Je te demande pardon, c'est ça, l'amour ! C'est quand on peut se dire : « Ah ! ah ! cet homme-là, vous auriez bien voulu l'avoir… Eh bien ! c'est moi qui l'ai, et vous ne l'aurez pas ! » *(Avec une petite révérence.)* C'est pas autre chose, l'amour !

LA BARONNE, *descendant un peu* : Qu'est-ce que tu veux, tu me déconcertes !

VIVIANE, *la rejoignant par-derrière, et comme une enfant câline, la tête par-dessus l'épaule de sa mère, l'enserrant de ses deux bras* : Non, vois-tu, maman, tu es encore trop jeune pour comprendre ça !…

LA BARONNE, *riant* : Il faut croire !

Elle l'embrasse.

VIVIANE : Eh bien ! voilà justement ce que je reproche à M. de Bois-d'Enghien ; il est très gentil, très bien, mais… il ne fait pas sensation ! Enfin ! quand on pense… qu'il n'y a pas la plus petite femme qui se soit tuée pour lui !…

LA BARONNE : Est-ce que ça l'empêchera de te rendre heureuse ?

VIVIANE, *quittant sa mère et gagnant la gauche* : Oh ! ça, je n'en doute pas… *(Revenant à sa mère.)* Et puis, si ça n'était pas, avec le divorce, n'est-ce pas ? c'est si simple !

Elle gagne la gauche.

LA BARONNE, *au public* : Allons ! elle me paraît en bonne disposition pour le mariage !…

SCÈNE III

LES MÊMES, ÉMILE,
puis BOIS-D'ENGHIEN

ÉMILE, *du fond* : M. de Bois-d'Enghien, Madame.

LA BARONNE : Lui ! Faites-le entrer.

BOIS-D'ENGHIEN, *très gai, très empressé, un bouquet de fiancé à la main* : Bonjour, belle-maman ; bonjour, ma petite femme !

LA BARONNE (3) : Bonjour, mon gendre !

VIVIANE (1), *lui souriant en prenant le bouquet qu'il lui présente* : Toujours des fleurs, alors ?

BOIS-D'ENGHIEN (2) : Pour vous, jamais trop ! *(À part.)* Et puis ça m'est égal, j'ai un forfait avec mon fleuriste.

Viviane a déposé le bouquet sur le guéridon.

LA BARONNE : Vous n'embrassez pas votre fiancée ?... Aujourd'hui, ça vous est permis !

BOIS-D'ENGHIEN : Comment donc ! tout le temps ! tout le temps ! *(En l'embrassant, il se pique à une des épingles du corsage de Viviane.)* Oh !

VIVIANE, *moqueuse* : Prenez garde, j'ai des épingles !

BOIS-D'ENGHIEN, *se suçant le doigt* : Vous ne l'auriez pas dit que je ne m'en serais pas aperçu !

VIVIANE : Voilà ce que c'est que de mettre les mains…

BOIS-D'ENGHIEN : Eh bien ! encore une fois, là… sans les mains ?

VIVIANE : Ouh !… gourmand !

Il l'embrasse en gardant ses mains derrière le dos.

LA BARONNE, *qui s'est approchée de Bois-d'Enghien, de façon qu'en se retournant, la figure de celui-ci se trouve portée contre la sienne, — tendant la joue* : Et la belle-maman, alors, on ne l'embrasse pas ?

BOIS-D'ENGHIEN, *après avoir fait une légère grimace* : Si ! si ! comment donc ! Ah ! bien… *(Il l'embrasse ; puis à part, au public.)* Le plat de résistance après le dessert.

LA BARONNE, *joviale* : Et moi, au moins, on peut mettre les mains, je n'ai pas d'épingles !

BOIS-D'ENGHIEN : À la bonne heure !

LA BARONNE : Et maintenant, une bonne nouvelle pour vous, mon gendre… L'église ayant tous ses services retenus pour le jour que nous avons fixé, j'ai décidé d'avancer le mariage de deux jours.

BOIS-D'ENGHIEN, *ravi* : Ah ! bien, j'en suis bien aise !… Justement mon fleuriste me disait tout à l'heure : « Comme vous faites durer longtemps vos fiançailles »… *(À Viviane.)* Ah ! bien, je suis bien content !

LA BARONNE, *dans le dos de Bois-d'Enghien* : Vous la rendrez heureuse, n'est-ce pas ?

BOIS-D'ENGHIEN, *se retournant* : Qui ça ?

LA BARONNE : Eh bien ! ma fille, voyons ! pas le Grand Turc !

BOIS-D'ENGHIEN : C'est juste ! Je fais des réflexions bêtes.

VIVIANE : Et puis, c'est ce que je disais à maman, avec le divorce, n'est-ce pas ?

BOIS-D'ENGHIEN, *interloqué* : Ah ! vous avez déjà envisagé... ?

VIVIANE : Oh ! moi, je trouve ça très chic, d'être divorcée.

BOIS-D'ENGHIEN : Ah ?

VIVIANE : J'aimerais encore mieux ça que d'être veuve !

BOIS-D'ENGHIEN : Tiens ! Et moi aussi !

LA BARONNE, *un peu au-dessus de Bois-d'Enghien, lui prenant la main gauche de sa main gauche, l'autre main sur l'épaule de son gendre* : D'ailleurs, ce sont là des extrémités auxquelles vous n'aurez jamais à recourir, Dieu merci ! Fernand est un garçon sérieux, rangé...

VIVIANE, *avec un soupir* : Oh ! oui !...

BOIS-D'ENGHIEN : Ça !...

LA BARONNE, *quittant la main de Bois-d'Enghien* : Il a sans doute eu, comme tous les jeunes gens, ses petits péchés de jeunesse...

BOIS-D'ENGHIEN, *avec aplomb* : Jamais !...

LA BARONNE, *à mi-voix à Bois-d'Enghien, ravie* : Comment ! pas la moindre petite bonne amie !

BOIS-D'ENGHIEN : Moi ?… Ah ! bien… mais je ne comprends pas ça ! Souvent je voyais des petits jeunes gens de mon âge courir les demoiselles… ça me passait ! Je leur disais : « Mais enfin, qu'est-ce que vous pouvez bien faire avec ces femmes ?… »

VIVIANE, *avec pitié, à part* : Oh ! la, la, la, la !…

BOIS-D'ENGHIEN : Moi, je n'ai jamais aimé qu'une seule femme !…

VIVIANE ET LA BARONNE, *se rapprochant vivement et chacune sur un ton différent ; la première, comme s'il y avait : « Serait-ce possible ! » l'autre comme elle dirait « Je le savais bien ! »* : Ah !

BOIS-D'ENGHIEN : C'était ma mère !

Viviane, qui s'était rapprochée avec une lueur d'espoir, retourne où elle était, avec déception.

LA BARONNE, *touchée* : C'est bien ça !

BOIS-D'ENGHIEN : Je m'étais toujours dit : Je veux me réserver tout entier pour celle qui sera mon épouse [1].

LA BARONNE, *lui serrant la main et le montrant à sa fille* : Je te dis ! Tu ne sais pas… tu ne sais pas apprécier l'homme que tu épouses !

BOIS-D'ENGHIEN : Je ne veux pas qu'on puisse dire de moi, comme de tant d'autres, que j'apporte en ménage les rinçures de ma vie de garçon !

VIVIANE : Quelles rinçures ? Des rinçures de quoi ?

BOIS-D'ENGHIEN, *interloqué* : Hein ? De... je ne sais pas ! c'est une expression. On dit comme ça : « Apporter les rinçures de sa vie de garçon ! » Ça ne peut pas se préciser, mais ça fait image !

LA BARONNE : Oui, oui ! il a raison.

BOIS-D'ENGHIEN, *à Viviane* : Eh bien ! moi, au moins, en m'épousant, vous pouvez vous dire que c'est moralement comme si vous épousiez... Jeanne d'Arc.

VIVIANE, *le regardant* : Jeanne d'Arc ?

BOIS-D'ENGHIEN : Tout sexe à part, bien entendu !

VIVIANE : Pourquoi Jeanne d'Arc ? Vous avez sauvé la France ?

BOIS-D'ENGHIEN : Non ! je n'ai pas eu l'occasion ! Mais tel j'arrive à la fin de ma vie de garçon, et avec l'âme aussi pure... que Jeanne d'Arc à la fin de sa vie d'héroïsme, quand elle comparut au tribunal de cet affreux Cauchon [1] !

LA BARONNE, *sévèrement* : Fernand ! ces expressions dans votre bouche ?

BOIS-D'ENGHIEN : Eh bien ! comment voulez-vous que je dise ?... Il s'appelle Cauchon, je ne peux pas l'appeler Arthur !...

VIVIANE, *railleuse* : C'est juste !

LA BARONNE : Fernand, vous êtes une perle...

VIVIANE : Il est encore au-dessous de ce que je croyais !…

BOIS-D'ENGHIEN, *à part, passant au 3* : C'est un peu canaille, ce que je fais là… mais ça me fait bien voir !…

SCÈNE IV

LES MÊMES, ÉMILE,
puis DE FONTANET

ÉMILE (3), *du fond* : Madame, il y a déjà un monsieur d'arrivé.

LA BARONNE (2) : Déjà ! qui ça ?

ÉMILE : M. de Fontanet !

BOIS-D'ENGHIEN (4), *à part, sursautant* : Fontanet, fichtre ! le bonhomme de ce matin !

LA BARONNE : Qu'est-ce que vous avez ? vous le connaissez ?

BOIS-D'ENGHIEN, *vivement* : Moi ? pas du tout !

LA BARONNE : Ah ! Je croyais ! *(À Émile.)* Priez M. de Fontanet de venir nous retrouver ici…

Émile sort.

BOIS-D'ENGHIEN : Hein ! Comment, ici ?

LA BARONNE : Pourquoi pas ? Je ne fais pas de cérémonies avec Fontanet.

BOIS-D'ENGHIEN, *à part* : Mon Dieu ! Et impossible de le prévenir ! Pourvu qu'il ne mette pas les pieds dans le plat !

ÉMILE, *introduisant Fontanet* : Si Monsieur veut entrer.

Il sort après avoir introduit.

DE FONTANET* : Ah ! bonjour baronne ! bonjour.

BOIS-D'ENGHIEN, *qui s'est précipité à sa rencontre de façon à se mettre entre lui et la baronne* : Ah ! la bonne surprise ! Bonjour, ça va bien ?

Il l'emmène ainsi jusqu'à l'avant-scène.

DE FONTANET (4), *ahuri de cet accueil* : Comment, vous ici !…

BOIS-D'ENGHIEN (3) : Moi-même !

LA BARONNE, *qui ne comprend rien à la scène* : Hein ?

BOIS-D'ENGHIEN, *bas et vivement, à Fontanet* : Pas d'impair, surtout, pas d'impair ! *(Haut.)* Ah ! ce cher Fontanet.

LA BARONNE : Vous le connaissez donc ?

BOIS-D'ENGHIEN : Parbleu, si je le connais.

LA BARONNE : Mais vous venez de nous dire…

BOIS-D'ENGHIEN : Parce que je ne savais pas que c'était de lui que vous me parliez ! Mais je ne connais que lui, ce cher Fontanet !

* V. — La B. — F. — B.

Il lui serre la main.

DE FONTANET : Comment ! pas plus tard que ce matin, nous avons déjeuné ensemble !

BOIS-D'ENGHIEN, *très troublé* : Hein ! ce matin… Ah ! oui ! oh ! si peu… je n'avais pas faim, alors…

LA BARONNE : Tiens ! Où ça avez-vous déjeuné ?

BOIS-D'ENGHIEN, *faisant des signes à Fontanet* : Eh ! bien, là-bas… vous savez… comment ça s'appelle donc déjà ?…

DE FONTANET : Chez la divette !

BOIS-D'ENGHIEN : L'idiot.

LA BARONNE : Chez la divette ?

VIVIANE : Qu'est-ce que c'est que la divette ?

DE FONTANET : La divette… Eh ! bien, c'est…

BOIS-D'ENGHIEN, *vivement* : C'est un restaurant ! Le restaurant Ladivette !

DE FONTANET, *à part* : Qu'est-ce qu'il dit ?

BOIS-D'ENGHIEN, *à la baronne et à Viviane, — s'efforçant de rire* : Comment, vous ne connaissez pas le restaurant Ladivette ?

LA BARONNE ET VIVIANE : Non !

BOIS-D'ENGHIEN, *riant très fort pour dissimuler son trouble* : Ah ! dites donc, Fontanet, elles ne connaissent pas le restaurant Ladivette !

DE FONTANET, *riant comme lui* : Ah ! ah ! ah ? *(Changement de ton.)* Moi non plus.

BOIS-D'ENGHIEN, *ne pouvant retenir une grimace* : Oh ! *(Reprenant son rire bruyant, mais sans conviction.)* Ni vous non plus ! *(Le montrant au doigt.)* Ah ! ah !

ah ! il va dans un restaurant, et il ne sait même pas comment il s'appelle !… *(Marchant sur lui et lui poussant des bottes de façon à lui faire gagner l'extrémité de la scène.)* Ah ! ce cher Fontanet qui ne connaît pas le restaurant Ladivette ! *(Vivement et bas.)* Taisez-vous donc, voyons !… taisez-vous donc !

LA BARONNE, *qui a ri avec eux, gaiement* : Et où le prenez-vous ce restaurant Ladivette ?

BOIS-D'ENGHIEN, *étourdiment* : Je ne le prends pas !

LA BARONNE : Hein ?

BOIS-D'ENGHIEN : Ah ? « Où je le prends… le restaurant Ladivette ? » *(À Fontanet.)* Belle-maman me demande où je le prends.

LA BARONNE : Eh bien ! oui ! où le prenez-vous ?

BOIS-D'ENGHIEN : J'entends bien !… *(À part.)* Quelle fichue idée on a eu de parler du restaurant Ladivette !

VIVIANE : Eh bien ?

BOIS-D'ENGHIEN, *très embarrassé* : Eh bien ! voilà, euh !… C'est un peu loin…

LA BARONNE, *gaiement* : Ça ne fait rien.

BOIS-D'ENGHIEN : Bon ! Eh bien ! n'est-ce pas, vous êtes sur la place de l'Opéra… Vous savez où c'est, la place de l'Opéra ?

LA BARONNE : Mais oui, mais oui !

BOIS-D'ENGHIEN : Vous vous mettez comme ça sur le refuge[1], vous avez l'Opéra devant vous, et l'avenue dans le dos ! Vous voyez ça ? Bon… *(Se retournant brusquement sur lui-même, et tout le monde avec lui.)* Vous vous retournez vivement ! *(Sur un ton calme.)*… De façon à avoir l'Opéra dans le dos, et l'avenue en face…

LA BARONNE : Mais, pardon !… Il aurait été plus simple de commencer par là tout de suite.

BOIS-D'ENGHIEN : Ça, c'est vrai, mais enfin, ça ne s'est pas trouvé comme ça.

LA BARONNE, *au moment où Bois-d'Enghien va continuer* : Et puis, dites donc, vous savez, je vous demande ça… au fond, ça m'est égal !

BOIS-D'ENGHIEN : Oui ? Ah ! bien, alors inutile, n'est-ce pas ? *(À part.)* Ouf !

DE FONTANET, *à part, le considérant* : Qu'est-ce qu'il a donc ?

LA BARONNE, *à Fontanet* : Ce qu'il y a de plus clair dans tout ça, c'est que vous vous connaissez, je n'ai donc pas besoin de vous présenter le fiancé de ma fille…

DE FONTANET : Qui ça, le fiancé de votre fille ?

LA BARONNE : Mais lui ! M. de Bois-d'Enghien !

DE FONTANET : Hein ! comment ? c'est lui qui… *(À part.)* L'amant de Lucette… Oh ! la, la ! je comprends maintenant le restaurant Ladivette ! *(Haut.)* Comment, c'est vous qui… Eh bien ! hein ? quand je vous disais ce matin que le fiancé avait un nom dans le genre du vôtre… hein ?

BOIS-D'ENGHIEN, *à part* : L'animal ! tiens !

À bout de ressources il lui écrase un pied de toute la force de son talon.

DE FONTANET, *hurlant de douleur* : Oh ! la, la, la ! Oh ! la, la !

TOUS : Qu'est-ce que vous avez ?

BOIS-D'ENGHIEN, *faisant plus de bruit que tout le monde* : Qu'est-ce que vous avez ? Vous avez quelque chose ? Il a quelque chose !... Qu'est-ce que vous avez ? dites-le ?

DE FONTANET, *qui est allé s'asseoir à cloche-pied sur le canapé* : Oh ! mon pied ! Oh ! mon pied !

BOIS-D'ENGHIEN, *à part* : Comme ça, ça changera la conversation.

Il remonte.

DE FONTANET*, *furieux* : Oh ! la, la ! C'est vous !... avec votre talon !...

BOIS-D'ENGHIEN : Moi ?... Comment ?... Oh !...

DE FONTANET : Oh ! la, la ! juste sur mon cor.

BOIS-D'ENGHIEN : Vous avez des cors ? Il a des cors ! Oh ! c'est laid, ça !

DE FONTANET : Ah ! je ne sais pas si c'est laid, mais quand on vous marche dessus, c'est affreux.

VIVIANE, *de l'autre côté de la chaise longue* : Eh bien ! vous sentez-vous mieux, Monsieur de Fontanet ?

DE FONTANET, *se levant et gagnant le 4 en mar-*

* V. — La B. — F. Sur la chaise longue. — B.

chant avec difficulté : Merci, Mademoiselle, merci : ça va un peu mieux !...

BOIS-D'ENGHIEN (3) : Mais oui, mais oui ! Ça ne l'empêchera pas de signer à notre contrat quand Me Lantery sera arrivé !

DE FONTANET, *tout en se frottant le pied qu'il ne peut encore poser carrément par terre* : Ah ! c'est Me Lantery qui est votre notaire ?

LA BARONNE (2) : Oui. Vous le connaissez ?

DE FONTANET, *moitié riant, moitié geignant* : Oui, oui. Oh ! très bon notaire.

BOIS-D'ENGHIEN : N'est-ce pas ?

DE FONTANET : Il n'a qu'un défaut, le pauvre homme : ce qu'il sent mauvais !

TOUS, *retenant une envie de rire* : Ah ?

DE FONTANET : Vous n'avez pas remarqué ? Ffut ! *(Il souffle ainsi dans le nez de Bois-d'Enghien.)* Ah ! c'est insoutenable !

Il gagne la droite.

BOIS-D'ENGHIEN, *à part* : La pelle qui se moque du fourgon.

SCÈNE V

LES MÊMES, ÉMILE

ÉMILE, *un plateau avec une carte à la main, descendant au 3* : Madame, une dame est là, accompagnée de deux personnes. Elle dit que Madame l'attend ! voici sa carte.

LA BARONNE : Ah ! parfaitement !... j'y vais !

Émile remonte.

BOIS-D'ENGHIEN : Qu'est-ce que c'est ?

LA BARONNE : Ah ! voilà, c'est une surprise que je ménage à mes invités.

DE FONTANET : Vraiment ?

BOIS-D'ENGHIEN : Mais à nous, vous pouvez bien dire...

LA BARONNE : Non ! non ! vous verrez, vous verrez ! c'est une surprise ! vous serez contents ! Viens, Viviane !

VIVIANE : Oui, maman !

Sortie de la baronne et de Viviane par le fond.

BOIS-D'ENGHIEN (1), *qui a accompagné la baronne jusqu'au fond, redescend vivement sur Fontanet (2)* : Mais malheureux, vous ne vous aperceviez donc pas des transes par lesquelles vous me faisiez passer tout à l'heure ?

DE FONTANET : Eh ! mon ami, je l'ai compris après : mais est-ce que je pouvais penser que vous étiez le fiancé, vous, l'amant de Lucette Gautier !

BOIS-D'ENGHIEN : Eh ! Lucette ! il y a quinze jours que c'est fini !

DE FONTANET : Comment ! je vous y ai vu ce matin !

BOIS-D'ENGHIEN : Qu'est-ce que ça prouve ça ? Ce matin… c'était en passant… pour prendre congé… P.P.C., l'adieu… de l'étrier[1] !

Il gagne la gauche.

DE FONTANET : Ah ?

BOIS-D'ENGHIEN, *revenant vivement à lui* : Surtout, n'est-ce pas ? si vous voyez Lucette Gautier, pas un mot de mon mariage ! Elle le saura bien assez tôt !

DE FONTANET : Entendu ! entendu !

Voix dans la coulisse.

DE FONTANET : Tiens ! voilà la baronne qui revient !

BOIS-D'ENGHIEN, *d'un air au fond indifférent* : Avec sa surprise, sans doute.

DE FONTANET : Tiens ! Voyons-la ?… *(Bois-d'Enghien reste à l'avant-scène. Fontanet remonte et une fois au fond, parlant dans la coulisse.)* Comment, c'est elle !… Comment, c'est vous !

Il disparaît dans le second salon.

BOIS-D'ENGHIEN, *pris, lui aussi de curiosité* : Qui ça, « vous » ? Qui ça, « elle » ? *(Il remonte, regarde et bondissant.)* Miséricorde !… Lucette Gautier ! *(Il se précipite vers la porte de gauche qu'il trouve fermée.)* Dieu ! c'est fermé ! *(Affolé, ne sachant où donner de *la tête.)* Lucette ici ! Pourquoi ? Comment ? *(Il veut traverser la scène pour gagner la porte de droite, mais il s'arrête brusquement au moment de passer devant la porte du fond, en voyant les autres qui arrivent ; il n'a que le temps de rebrousser chemin et de se jeter dans l'armoire du fond.)* Ah ! à la grâce de Dieu !

Il referme les battants sur lui.

SCÈNE VI

LES MÊMES, LA BARONNE, VIVIANE, LUCETTE, MARCELINE, DE CHENNEVIETTE

Tous les personnages sont dans la pièce du fond.

DE FONTANET : Ah ! bien, c'est égal ! Pour une surprise, voilà bien une surprise !

LA BARONNE : N'est-ce pas ? *(À Lucette.)* Tenez, Mademoiselle, si vous voulez entrer par ici…

DE FONTANET, *à part* : Dieu ! le malheureux ! *(Haut et vivement, barrant l'entrée à tous les personnages.)* Non ! non ! pas ici ! pas ici !

TOUS, *étonnés* : Pourquoi ?

DE FONTANET : Parce que… Parce que… *(Jetant un rapide regard dans la pièce et ne voyant plus Bois-d'Enghien. À part.)* Personne ? *(Haut.)* Ah ! et puis ici, si vous voulez, vous savez !

TOUS : Mais, dame !

DE FONTANET, *à part* : Il a filé, je respire.

Tout le monde entre par la porte du fond dont les quatre vantaux sont ouverts.

*LA BARONNE, *à Lucette* : Voilà, Mademoiselle… J'espère que cette pièce vous conviendra.

LUCETTE : Mais, comment donc, Madame ! J'y serai divinement !

LA BARONNE, *à Marceline qui porte un gros carton à robe* : Tenez, si vous voulez poser ça là, ma fille…

MARCELINE : Sa fille ! En voilà une façon de me parler !

Elle porte le carton sur la table du fond.

LUCETTE, *présentant Chenneviette qui tient le sac de cuir dans lequel sont les objets de toilette et de théâtre de Lucette* : Voulez-vous me permettre de vous présenter M. de Chenneviette, que je me suis permis d'amener, mon plus vieil ami et un peu mon parent… par alliance ; en même temps que mon régisseur quand je vais en soirée.

LA BARONNE : Enchantée, Monsieur.

Chenneviette s'incline.

MARCELINE : Il n'y a pas de danger que ma sœur pense à me présenter, moi !

* Viv. 1 et Font. 2 au-dessus de la ch. longue. — Luc. 3. — La B. 4. — Marc. 5. — Ch. 6 près de la table.

LA BARONNE : Vous voyez, Mademoiselle ; vous trouverez tout ce qu'il vous faut ici ! C'est ma chambre à coucher que j'ai fait aménager pour la circonstance...

LUCETTE : Je suis vraiment désolée de vous avoir donné tant de mal !

LA BARONNE : Du tout ! J'ai tenu à en faire une loge digne d'une étoile comme vous !

LUCETTE : En effet. *(Apercevant le fauteuil placé sous le baldaquin du lit.)* Que vois-je ?... Un trône !...

TOUS : Un trône !

LUCETTE : Ah ! vraiment, c'est trop !

LA BARONNE : Où ça, un trône ? ça ? Ce n'est pas un trône, c'est le baldaquin de mon lit ! J'ai fait enlever le lit et j'ai mis le fauteuil à la place.

LUCETTE, *un peu dépitée* : Ah ! je disais aussi...

MARCELINE, *à part* : C'est bien fait ! C'est pas un trône[1] !

LA BARONNE, *qui va successivement aux différents objets qu'elle désigne, suivie à une certaine distance de Chenneviette qui remplit son emploi de bon régisseur* : Vous trouverez là, derrière ce paravent, le nécessaire pour la toilette !... *(S'approchant de l'armoire comme pour l'ouvrir.)* Voici une armoire où vous pourrez ranger vos costumes ; elle est vide !

Elle quitte l'armoire et descend à gauche de la chaise longue.

LUCETTE : Parfait !

Chenneviette reste à partir de ce moment au-dessus de la chaise longue.

LA BARONNE : Sur cette table, un timbre électrique, si vous avez besoin de quelqu'un, vous n'avez qu'à sonner ! D'ailleurs cette porte… *(Elle va à la porte de gauche.)* Tiens ! Qui est-ce qui l'a donc fermée ? *(À Viviane qui est au fond près de l'armoire, causant avec Fontanet.)* Bichette, veux-tu faire le tour ? la clef est de l'autre côté.

VIVIANE : Oui, maman.

Elle sort par le fond.

LA BARONNE, *gagnant le 3* : Cette porte donne sur le couloir de service… votre femme de chambre aura encore plus vite fait d'aller à la cuisine elle-même…

MARCELINE, *piquée* : La femme de chambre ? Quelle femme de chambre ?

LA BARONNE : Mais, Mademoiselle… est-ce que vous n'êtes pas ?…

MARCELINE, *pincée* : Pas du tout, Madame ! Je suis la sœur de Mlle Gautier !

LA BARONNE : Oh ! pardon, Mademoiselle ! je suis désolée…

MARCELINE, *aigre* : Il n'y a pas de mal. *(À part.)* On lui en donnera des femmes de chambre !

Elle remonte à la table s'occuper de son carton.

VIVIANE, *entrant de gauche* : Voilà, c'est ouvert !

Elle descend au 1, à gauche de la chaise longue, et prend son bouquet sur le guéridon.

LA BARONNE (4) : Maintenant, si vous voulez bien, Mademoiselle, venir jusqu'au salon pour voir si tout est à votre convenance ; l'emplacement du piano, de l'estrade…

LUCETTE (2) : Oh ! ça, ça regarde mon régisseur ! *(À Chenneviette.)* Chenneviette, à toi, mon ami !

DE CHENNEVIETTE : J'y vais… *(Il remet le sac à Lucette, puis à la baronne.)* Si Madame veut m'indiquer…

LA BARONNE, *remontant* : Nous vous accompagnons. Vous venez, Fontanet ?

DE FONTANET, *qui est dans le salon du fond, adossé à la cheminée* : Je suis à vos ordres !

LUCETTE, *qui a ouvert son petit sac sur le guéridon* : Pendant ce temps-là, aidée de ma sœur, moi, ici, je vais faire ma petite installation.

LA BARONNE, *au fond au moment de sortir* : C'est cela, viens, Viviane !… Mais qu'est donc devenu ton fiancé ?

VIVIANE : Je ne sais pas, maman. Il prend l'air, sans doute.

Elle sort avec sa mère en emportant son bouquet.

SCÈNE VII

LUCETTE, MARCELINE,
BOIS-D'ENGHIEN *dans l'armoire.*

MARCELINE (2), *qui a ouvert son carton dont elle a déposé le couvercle devant elle sur la chaise, entre le dossier et la table* : C'est agréable, on me prend pour ta femme de chambre.

LUCETTE : Eh bien ! il n'est pas écrit sur ta figure que tu es ma sœur !

MARCELINE : Non, mais tu aimes ça, toi, quand on peut m'humilier !

LUCETTE : Allons, au lieu de grogner, déballe donc plutôt mes costumes qui se froissent dans ce carton et pends-les dans l'armoire !

MARCELINE, *tout en déballant* : Oh ! toi, tu sais, tu seras cause que je ferai un coup de tête un jour !

LUCETTE : Et qu'est-ce que tu feras ? mon Dieu !

MARCELINE, *gagnant le milieu de la scène avec un costume de théâtre sur le bras* : Je prendrai un amant !

LUCETTE : Toi !

MARCELINE : Oh ! mais tu ne me connais pas !

Elle pétrit nerveusement et sans faire attention à ce qu'elle fait, le costume qu'elle a sur le bras.

LUCETTE, *riant* : Oh ! la, la ! un amant, elle ! *(Changeant de ton.)* Fais donc attention, tiens, à la façon dont tu portes ces effets… *(Passant à droite pendant que Marceline est à l'armoire.)* Ah ! pristi, non, tu n'es pas femme de chambre, parce que si tu étais femme de chambre, tu ne resterais pas longtemps au service des gens…

MARCELINE (1), *allant à l'armoire* : C'est surtout au tien que je ne resterais pas ! *(Tirant vainement le battant de l'armoire.)* Mais qu'est-ce qu'elle a, cette armoire ?… On ne peut pas l'ouvrir !

LUCETTE, *qui, derrière la table, est en train de remettre le couvercle sur le carton* : Elle est peut-être fermée, tourne la clé.

MARCELINE : C'est ce que je fais : il n'y a pas moyen !

LUCETTE : Comment, il n'y a pas moyen !… *(Allant à l'armoire.)* Ah ! la, la ! même pas capable d'ouvrir une armoire !… Tiens, ôte-toi de là ! *(Elle la bouscule pour se mettre à sa place et essaye d'ouvrir.)* C'est vrai que c'est dur !

MARCELINE : Là, je ne suis pas fâchée !…

LUCETTE, *s'épuisant à tirer* : C'est drôle, on dirait que la résistance vient de l'intérieur ! *(À Marceline.)* Essayons à nous deux, bien ensemble.

LUCETTE ET MARCELINE : Une, deux, trois. Aïe donc !

La porte cède, Bois-d'Enghien entraîné par l'élan, manque de tomber sur elles.

LUCETTE ET MARCELINE, *poussant un cri strident* : Ah !

Elles reculent épouvantées, n'osant regarder.

LUCETTE (2) : Un homme !

MARCELINE (3) : Un cambrioleur !

BOIS-D'ENGHIEN, *qui a repris son équilibre dans l'armoire, bien calme* : Ah ! tiens ! c'est vous ?

LUCETTE : Fernand !

MARCELINE : Bois-d'Enghien !

LUCETTE, *moitié colère, moitié tremblante* : Eh bien ! qu'est-ce que tu fais là, toi ?

BOIS-D'ENGHIEN, *sortant de l'armoire* : Moi ? eh bien ! tu vois, je… je vous attendais !

LUCETTE, *même jeu* : Dans l'armoire !

BOIS-D'ENGHIEN : Hein ! oui, dans… l'armoire… tu sais quelquefois, dans la vie, on a besoin de s'isoler… Et ça va bien depuis tantôt ?

LUCETTE : Ah ! que c'est bête de vous faire des frayeurs pareilles !

MARCELINE : Il faut être idiot, vous savez, pour remuer les sangs comme ça !

BOIS-D'ENGHIEN, *avec un rire forcé pour dissimuler son embarras* : Ah ! ah ! je vous ai fait peur ! Ah ! ah ! Alors j'ai réussi, c'était une plaisanterie.

LUCETTE : Tu appelles ça une plaisanterie !

BOIS-D'ENGHIEN, *même jeu* : Oui, je me suis dit : Elle arrive, elle ouvre l'armoire et elle me trouve dedans… C'est ça qui est une bonne farce !

LUCETTE : Ah ! bien, elle est jolie, la farce !

MARCELINE : Elle est stupide !

BOIS-D'ENGHIEN : Merci ! *(À part, descendant à gauche.)* Mon Dieu ! pourvu que les autres n'arrivent pas !

SCÈNE VIII

LES MÊMES, DE CHENNEVIETTE

DE CHENNEVIETTE (2) : Tout est prêt par là ! *(Apercevant Bois-d'Enghien.)* Ah ! Bois-d'Enghien !

BOIS-D'ENGHIEN (1) : Chenneviette !

DE CHENNEVIETTE : Ah ! ça, comment ? Vous êtes ici, vous ?

BOIS-D'ENGHIEN, *essayant de se donner l'air dégagé* : Mon Dieu, oui ! Mon Dieu, oui !

LUCETTE (3) : Et tu ne sais pas où je l'ai trouvé ? Dans l'armoire !

DE CHENNEVIETTE : Comment, dans l'armoire ?

BOIS-D'ENGHIEN, *se tordant, mais sans conviction* : Oui, oui, hein, c'est drôle ?

DE CHENNEVIETTE, *à part* : Ah ! ça, il est fou !

MARCELINE, *qui, pendant ce qui précède, est allée accrocher les effets de théâtre dans l'armoire, emportant le carton* : J'emporte ça par là.

LUCETTE : Bon ! bon !

MARCELINE, *maugréant, en sortant de gauche* : Par la porte de la femme de chambre !

Elle sort.

LUCETTE, *à Bois-d'Enghien* : Mais, au fait, tu connais donc les Duverger, toi ?

BOIS-D'ENGHIEN, *avec aplomb* : Oui, oui… oh ! depuis longtemps ! J'ai vu la mère toute petite !

TOUS : Hein ?

BOIS-D'ENGHIEN, *se reprenant* : Euh !… La mère m'a vu tout petit, alors…

LUCETTE : Ah ? c'est drôle !…

BOIS-D'ENGHIEN, *se tordant en gagnant la gauche* : Hein ! n'est-ce pas ? c'est drôle, c'est très drôle…

LUCETTE, *le regardant avec étonnement, ainsi que Chenneviette* : Mais qu'est-ce qu'il a donc à rire comme ça ?

BOIS-D'ENGHIEN, *redevenant subitement sérieux et bondissant (2), sur Lucette (3), pendant que Chenneviette descend au 1* : Et maintenant, tu vas me faire le plaisir de ne pas chanter dans cette maison, hein ?

LUCETTE, *ahurie* : Moi ?… Et pourquoi ça ?

BOIS-D'ENGHIEN : Pourquoi ! elle demande pourquoi ?… Parce que… parce… qu'il y a des courants d'air, là !…

LUCETTE : Où ça ?

BOIS-D'ENGHIEN, *ne sachant plus ce qu'il dit* : Partout !… au-dessus de l'estrade !

LUCETTE : Au-dessus de l'estrade !… il y a des c… *(Brusquement.)* Je vais en parler à la baronne !

Elle remonte.

BOIS-D'ENGHIEN, *la rattrapant de sa main droite et la faisant redescendre au 2* : C'est ça, alors, ça fera des cancans ; elle saura que c'est moi qui t'en ai parlé…

LUCETTE : Mais non, mais non ! je ne prononcerai pas ton nom !… *(On aperçoit la baronne dans le second salon.)* Voici la baronne, je vais en avoir le cœur net.

BOIS-D'ENGHIEN, *se précipitant à droite* : Ma belle-mère ! Je file !

LUCETTE : Eh bien ! où vas-tu ?

BOIS-D'ENGHIEN, *dans l'embrasure de la porte* : Tu ne m'as pas vu ! Tu ne m'as pas vu !

Il disparaît.

LUCETTE : Est-il drôle !

DE CHENNEVIETTE, *qui a assisté à cette scène, avec un profond ahurissement. À part* : C'est égal, je serais curieux de connaître le fin mot de tout ça !

SCÈNE IX

DE CHENNEVIETTE, LUCETTE, LA BARONNE

LA BARONNE : Où peut être passé mon gendre ?

LUCETTE (3) : Ah ! Madame, je ne suis pas

fâchée de vous voir. *(La baronne descend ainsi que Lucette.)* Il paraît qu'il y a des courants d'air dans votre salon ?

LA BARONNE, *avec un soubresaut* : Dans mon salon !

LUCETTE, *polie, mais sur un ton qui n'admet pas de réplique* : Oui, Madame ! on me l'a dit… et je vous avouerai que je ne peux pas chanter avec un vent coulis sur les épaules.

LA BARONNE, *dans tous ses états, ne sachant qui prendre à témoin, tantôt à Lucette, tantôt à Chenneviette* : Mais, Madame, je ne sais pas ce que vous voulez dire !… un vent coulis dans mon salon !… mais c'est insensé… Voyons, Monsieur… ? oh ! dans mon salon ! Madame ! un vent coulis !… mais venez voir par vous-même si vous trouvez le moindre courant d'air !

LUCETTE : Eh bien ! c'est ça ! parfaitement ! allons voir ! Parce que vous comprenez, moi chanter dans ces conditions-là…

LA BARONNE : Mais venez, mais je vous en prie ! *(En s'en allant.)* Dans mon salon, un vent coulis !… Non ! non !…

Ces dernières phrases sont dites en s'en allant, les deux femmes parlant ensemble.

SCÈNE X

DE CHENNEVIETTE,
BOIS-D'ENGHIEN, *puis* VIVIANE,
puis LUCETTE *et* LA BARONNE

DE CHENNEVIETTE, *gagnant la droite* : Oh ! la, la, la, la ! parbleu, il n'y en a pas de courant d'air ! il n'y en a pas !

BOIS-D'ENGHIEN, *comme un boulet, surgissant par la porte de gauche et tout essoufflé* : Ouf ! vous êtes seul ?

DE CHENNEVIETTE (2) : Allons, bon ! vous arrivez par là, vous ?

BOIS-D'ENGHIEN : Oui, parce que j'étais parti par là. *(Il indique la porte de droite.)* Et alors j'ai fait…

Il indique d'un geste qu'il a fait le tour par en haut et qu'il est redescendu par la gauche.

DE CHENNEVIETTE : Eh bien ! qu'est-ce qu'il y a ? qu'est-ce qui se passe ?

BOIS-D'ENGHIEN : Ce qu'il y a ? Il y a que j'ai une maison de cinq étages suspendue sur ma tête ! que Lucette est ici, et que c'est mon contrat de mariage qu'on va signer tout à l'heure.

DE CHENNEVIETTE, *bondissant* : Non ?

BOIS-D'ENGHIEN, *accablé* : Si !

DE CHENNEVIETTE, *se frappant la cuisse* : Nom d'un pétard !

Par ce mouvement il se trouve tourner à demi le dos à Bois-d'Enghien, et regarder l'avant-scène droite.

BOIS-D'ENGHIEN : Oh ! oui, nom d'un pétard ! *(Faisant pivoter Chenneviette sur lui-même en le poussant sur l'épaule droite et en le tirant sur l'épaule gauche de façon à lui faire faire un tour complet.)* Et c'est ce pétard qu'il faut absolument que vous m'évitiez en trouvant le moyen d'emmener Lucette, de gré ou de force.

DE CHENNEVIETTE : Mais comment ? comment ?...

BOIS-D'ENGHIEN : Ah ! je ne sais pas ; mais il faut !

DE CHENNEVIETTE, *se tournant comme précédemment* : Je vais essayer...

BOIS-D'ENGHIEN, *le faisant pivoter comme précédemment* : Où est-elle en ce moment ? Où est-elle ?

DE CHENNEVIETTE, *furieux de se voir bousculé de la sorte et se dégageant* : Avec la baronne, dans le salon, en train de s'expliquer sur votre vent coulis.

Il remonte.

BOIS-D'ENGHIEN : Ah ! mon Dieu ! ça va éclater alors, c'est évident.

Voix dans la coulisse.

DE CHENNEVIETTE, *vivement à Bois-d'Enghien* : Attention ! les voilà qui reviennent !

BOIS-D'ENGHIEN : Oh !

Il se précipite à droite pour s'esquiver, et va donner dans Viviane qui entre de droite.

VIVIANE ET BOIS-D'ENGHIEN, *ensemble* : Oh !

Ils se frottent l'un et l'autre l'épaule cognée. Dans leur élan, Viviane a été portée au 2 et Bois-d'Enghien au 3.

BOIS-D'ENGHIEN, *à part* : Fichtre !... *(Haut, en affectant de rire.)* Ah ! ah ! tiens ! c'est vous ?

VIVIANE : Eh bien ! où étiez-vous ? Voilà une demi-heure que je vous cherche !

BOIS-D'ENGHIEN : Mais moi aussi ! moi aussi... *(Voulant l'entraîner.)* Eh bien ! cherchons ensemble, maintenant, cherchons ensemble !

VIVIANE, *le retenant* : Cherchons quoi ? puisque nous nous sommes trouvés.

BOIS-D'ENGHIEN : C'est juste ! *(À part.)* Je ne sais plus ce que je dis !

VIVIANE, *à part* : Mais est-il bête !

DE CHENNEVIETTE, *qui est redescendu à l'extrême gauche* : Il bafouille, le pauvre garçon ! il bafouille !

On entend la voix de la baronne.

DE CHENNEVIETTE ET BOIS-D'ENGHIEN : Elles !

Bois-d'Enghien essaye de gagner la porte de droite à pas de loup pour s'esquiver sans être aperçu.

LA BARONNE (3), *au fond* : Vous voyez, Mademoiselle, que j'avais raison !

LUCETTE (2) : Mais en effet !

LA BARONNE, *au moment où Bois-d'Enghien va disparaître* : Ah ! Bois-d'Enghien ! Enfin, vous voilà !

BOIS-D'ENGHIEN, *pivotant sur ses talons et avec aplomb* : Mais... Je venais.

LA BARONNE, *à Lucette, pour lui présenter Bois-d'Enghien* : Mademoiselle...

BOIS-D'ENGHIEN, *à part* : Oh ! la, la ! Oh ! la, la !

LA BARONNE, *à Lucette qui d'ailleurs fait signe de la tête qu'elle connaît* : Voulez-vous me permettre de vous présenter...

DE CHENNEVIETTE, *se précipitant entre Lucette et la baronne et saisissant Lucette par la main, l'entraîne au fond, non sans bousculer la baronne* : Non, non ! c'est pas la peine !... Elle connaît, elle connaît !...

TOUS : Hein !

Tumulte général.

DE CHENNEVIETTE, *l'entraînant* : Viens ! viens ! avec moi.

LUCETTE, *se débattant* : Mais où ? Mais où ?

DE CHENNEVIETTE, *même jeu* : Chercher le vent coulis ! je sais où il est, je sais où il est !

LUCETTE, *disparaissant, entraînée de force par*

Chenneviette : Mais non, mais non ! Oh ! mais, voyons !

BOIS-D'ENGHIEN, *qui seul n'est pas remonté, à part avec joie* : Oh ! mon terre-neuve… je l'embrasserais ! je l'embrasserais !

SCÈNE XI

LES MÊMES, *moins* LUCETTE *et* CHENNEVIETTE

LA BARONNE, *au fond avec Viviane* : Mais qu'est-ce qu'il y a ? Pourquoi l'entraîne-t-il comme ça ?

BOIS-D'ENGHIEN : Pourquoi ? *(Il gagne le fond à pas de géant, se place entre elles deux, les prend chacune par une main et les fait redescendre également à grandes enjambées qu'elles suivent comme elles peuvent.)* Parce que… parce que vous alliez faire un impair énorme !…

LA BARONNE (1) : Un impair, moi !

VIVIANE (3) : Et comment ça ?

BOIS-D'ENGHIEN (2) : Vous alliez me présenter : « Monsieur de Bois-d'Enghien, mon gendre, ou le futur, le fiancé… » quelque chose comme ça ?

LA BARONNE : Mais naturellement !

BOIS-D'ENGHIEN, *sur un ton de profond mystère* : Eh bien ! voilà justement ce qu'il ne faut pas !… C'est ce monsieur-là qui m'a prévenu… C'est pour ça qu'il l'a entraînée… Il ne faut jamais prononcer le mot de futur, de gendre ou de fiancé devant Lucette Gautier !

LA BARONNE : Parce que ?

BOIS-D'ENGHIEN : Ah bien ! voilà… parce qu'il paraît… C'est ce monsieur-là qui m'a prévenu… Il paraît qu'elle a eu autrefois un amour malheureux !

VIVIANE, *avec intérêt* : Vraiment ?

BOIS-D'ENGHIEN, *sur un ton lamentable* : Un beau jeune homme qu'elle adorait et qu'elle devait épouser ! Malheureusement il était d'une nature faible. *(Avec un soupir.)* Un beau jour… il a succombé…

LA BARONNE : Ah ! mon Dieu ! à quoi ?

BOIS-D'ENGHIEN, *changeant de ton* : À une vieille dame très riche qui l'a emmené en Amérique…

LA BARONNE ET VIVIANE : Oh !

BOIS-D'ENGHIEN, *sur un ton dramatique* : Alors, flambé, le mariage ! Lucette Gautier ne s'en est jamais remise… Aussi, il suffit de prononcer devant elle les mots : gendre, futur ou fiancé, — c'est ce monsieur-là qui m'a prévenu, — aussitôt, crises de nerfs, pâmoisons, évanouissements.

LA BARONNE : Oh ! mais c'est affreux ! vous avez bien fait de m'avertir !

VIVIANE : Un roman d'amour, c'est gentil !

BOIS-D'ENGHIEN : Eh bien ! voilà, sans moi, hein ? et le monsieur qui m'a prévenu…

LA BARONNE, *pendant que Bois-d'Enghien remonte*

pour faire le guet : Ah ! je suis bien contente de savoir ça !

VIVIANE : Oh ! oui !...

Lucette paraît au fond, discutant avec Fontanet et Chenneviette.

BOIS-D'ENGHIEN, *à part* : Eux ! *(Il redescend comme une bombe, saisit Viviane et la baronne chacune par une main et les entraînant à droite.)* Venez, venez avec moi !

LA BARONNE ET VIVIANE, *ahuries* : Hein ? Comment ? Pourquoi ?

BOIS-D'ENGHIEN, *les poussant par la porte de droite, Viviane d'abord, la baronne ensuite* : J'ai encore quelque chose à vous dire, à vous montrer ! C'est là-haut. C'est là-haut. Venez...

Il les pousse malgré leurs récriminations et disparaît avec elles, à droite.

SCÈNE XII

LUCETTE, DE CHENNEVIETTE, DE FONTANET, *puis* ÉMILE, LE GÉNÉRAL

LUCETTE, *à Chenneviette qui la précède* : Tiens, tu es stupide !

DE CHENNEVIETTE, *à part, descendant (1) à*

gauche de la chaise longue : Il est embêtant, Bois-d'Enghien, il me fait jouer les rôles de crétin !

DE FONTANET : Dites donc ! je ne vous gêne pas ici ?

LUCETTE, *qui s'est assise (2) sur la chaise longue et se met un peu de poudre en se regardant dans une glace à main* : Mais non, mais non !

DE FONTANET, *descendant à droite* : Parce que je me rase par là ! C'est vrai, tout le monde a filé, et on me laisse là, tout seul, comme un pauvre pestiféré !

LUCETTE : Ce pauvre Fontanet !

DE FONTANET : C'est vrai, je suis à plaindre !

ÉMILE, *annonçant* : Le général Irrigua !

DE FONTANET : Qué qu'c'est qu'ça ?

LUCETTE : Lui ? Ah !

DE CHENNEVIETTE : Comment ! on a invité le rastaquouère ?

LUCETTE, *sans se lever* : Oui, c'est moi. *(Au général qui paraît au fond.)* Eh ! arrivez donc, Général !

LE GÉNÉRAL, *un bouquet à la main, arrivant empressé et allant à Lucette* : Oh ! qué yo lo souis en retard ! Qué yo lo souis ounpardonnable, porqué yo l'ai perdou oun temps qué yo l'aurais pou passer près de vouss !

LUCETTE : Mais non, mais non ! vous n'êtes pas en retard !

DE CHENNEVIETTE : Bonjour, Général !

LE GÉNÉRAL, *le saluant d'un petit coup de tête amical* : Buenos dias. *(Il salue également Fontanet qui s'incline. À Lucette lui présentant le bouquet qui est composé de fleurs des champs.)* Permettez qué yo vous offre…

LUCETTE, *sans le prendre* : Oh ! des fleurs des champs ! Quelle idée originale !

LE GÉNÉRAL, *galant* : Bueno ! Qué yo l'ai pensé, des fleurs des champs… à l'étoile… des chants !

TOUS, *avec une admiration railleuse* : Ah ! charmant !

LE GÉNÉRAL, *sur un ton dégagé et satisfait* : C'est oun mott !

DE FONTANET, *flatteur* : Ah ! très parisien ! *(Le général s'incline — au public en riant.)* C'est vrai, pour un peau-rouge !

LE GÉNÉRAL, *remettant à Lucette le bouquet qui est attaché par un rang de perles* : Mais si la bouquette il est môdique, la ficelle il est bienn !

LUCETTE, *se levant et prenant le bouquet auquel elle enlève le collier qui le lie* : Un collier de perles !… Ah ! vraiment, Général !

LE GÉNÉRAL, *grand seigneur* : Rienn du toute ! C'est oun bâcatil !

DE FONTANET, *au général* : Vous permettez…

Il passe devant le général et va admirer le collier avec les autres.

TOUS : Ah ! que c'est beau !

DE CHENNEVIETTE (1) : Mâtin !

LUCETTE (2), *se faisant attacher le collier autour*

du cou par Chenneviette : Oh ! je suis contente ! Vous n'avez pas idée comme je suis contente !

DE FONTANET (3) : Ah ! c'est d'un goût ! Je trouve ça d'un goût ! *(Le général s'incline modestement.)* Parole, c'est encore mieux que le mot, vous savez !

LUCETTE, *présentant Fontanet sans quitter Chenneviette qui lui attache son collier* : Général, monsieur Ignace de Fontanet.

LE GÉNÉRAL (4), *tendant la main* : Yo vous prie.

DE FONTANET : Enchanté, Général ! Et tous mes compliments ! Cette façon tout à fait grand seigneur de faire les choses…

LE GÉNÉRAL, *qui hume l'air sans se rendre compte de l'odeur qu'il respire* : Oh ! yo vous prie !

DE FONTANET, *lui parlant dans le nez avec force courbettes. À mesure que le général, enfin renseigné, se recule, Fontanet, toujours gracieux marche sur lui. Le général à la fin se trouve ainsi acculé à l'extrême droite* : C'est beau d'être à la fois millionnaire et galant, quand il y a tant de millionnaires qui ne sont pas galants et de galants qui ne sont pas millionnaires !

LE GÉNÉRAL, *prenant le 3, toujours suivi par Fontanet (4)* : Si ! Si ! *(Tirant une petite boîte de son gilet et la tendant à Fontanet.)* Prenez donc oun pastile.

DE FONTANET : Hein ? Qu'est-ce que c'est que ça ?

LE GÉNÉRAL : Des pastiles qué yo les prends quand yo l'ai foume oun cigare.

DE FONTANET, *s'inclinant, et bien dans le nez du général* : Alors, inutile, Général, je ne fume pas !

LE GÉNÉRAL, *vivement, élevant son chapeau claque de la main gauche d'un geste qui peut être pris pour un geste de regret, mais qui en réalité n'a d'autre but que d'élever un rempart qui mette son odorat à l'abri* : Yo le regrette ! *(Tendant la boîte de la main droite.)* Prenez tout de même !

DE FONTANET : Pour vous être agréable.

LE GÉNÉRAL : Yo vous rends grâce ! *(Le général regagne la gauche, suivi et obsédé par Fontanet qui continue de lui parler ; il se défend comme il peut contre lui, grâce à son claque qu'il tient comme une barrière entre eux et avec lequel il fait, ainsi que de la tête, des gestes d'acquiescement comme on fait avec une personne avec qui on ne tient pas à prolonger une discussion. Apercevant la baronne qui arrive de droite. À Fontanet.)* Pardon !

Il descend un peu au 4. Fontanet remonte au 3.

SCÈNE XIII

LES MÊMES, LA BARONNE,
puis BOIS-D'ENGHIEN, VIVIANE

LA BARONNE, *entrant de droite* : Non ! on n'a pas idée de ce garçon qui nous fait monter trois étages pour nous dire dans le grenier : « Vous n'avez pas remarqué que vous n'avez pas de paratonnerre sur la maison !… »

LE GÉNÉRAL, *saluant* : Madame !…

LUCETTE : Ah ! Madame, permettez-moi de vous présenter un de mes bons amis, le général Irrigua…

LE GÉNÉRAL, *s'inclinant* : Soi-même.

LUCETTE : Qui a été heureux de profiter d'une de vos cartes d'invitation.

LE GÉNÉRAL, *montrant par acquit de conscience sa carte d'invitation* : Yo l'ai la contremarque[1] !

LA BARONNE, *souriant* : Oh ! c'est inutile… *(Minaudant.)* Vous savez, Général, c'est une soirée toute de famille.

LE GÉNÉRAL, *très gracieux, comme s'il disait la chose la plus polie du monde* : Il m'est écal, yo vienne pour mamoisselle Gautier.

LA BARONNE, *interloquée* : Ah ? alors !… *(À part, pendant que le général va parler à Lucette.)* Eh bien ! au moins, il ne me l'envoie pas dire !

VIVIANE, *arrivant de droite, traînant Bois-d'Enghien* : Eh bien ! venez donc ! Qu'est-ce que vous avez ce soir ?

BOIS-D'ENGHIEN : Hein ! Mais rien !… *(À part.)* Allons, bon ! le général ici !

LE GÉNÉRAL, *qui s'est retourné, reconnaissant Bois-d'Enghien* : Tienne ! Bodégué ! Qué vous allez nous chanter quéqué chose !

TOUS : Comment, chanter quelque chose ?

LE GÉNÉRAL : Buéno ! Pouisqu'elle est oun ténor !

TOUS : Non ?

VIVIANE : Comment ! Vous chantez, vous ?

BOIS-D'ENGHIEN : Heu ! Oh ! vous savez !... Mais peu !... très peu !

VIVIANE : Oh ! je ne savais pas. Tiens, nous ferons de la musique !

BOIS-D'ENGHIEN, *au public* : Ah ! ça va bien ! ça va très bien !

SCÈNE XIV

LES MÊMES, ÉMILE, LE NOTAIRE,
puis BOUZIN *dans le fond.*

ÉMILE : Maître Lantery !

LA BARONNE, *allant à la rencontre du notaire* : Ah ! le notaire ! Bonjour, Maître Lantery.

MAÎTRE LANTERY, *descendant un peu et à droite (5) avec la baronne (4)* : Bonjour, Madame la baronne !... Messieurs, Mesdames !

Le général, après être remonté, redescend (2) causer avec Chenneviette (1) à gauche de la chaise longue.

LA BARONNE : Puisque vous voilà, nous allons pouvoir commencer tout de suite ! Vous avez le contrat ?

MAÎTRE LANTERY : Non, mais un de mes clercs l'apporte ! Ah ! justement le voici !

Bouzin paraît au fond parlant à Émile.

LA BARONNE : Parfait !

BOIS-D'ENGHIEN, *à part, traversant la scène, allant à Lucette* : Sapristi ! Bouzin ici ! *(À Lucette.)* Dis donc, Bouzin, là !

LUCETTE : Bouzin ? Ah ! bien, si le général le voit !

Elle occupe le général, en tournant le dos au public, de façon à empêcher le général de se retourner.

LA BARONNE, *qui est remontée à la suite du notaire, qui lui-même est allé retrouver Bouzin dans le second salon* : Mes amis, si vous voulez venir par là, pour la lecture du contrat.

DE FONTANET, VIVIANE, BOIS-D'ENGHIEN : Mais parfaitement.

Ils sortent, sauf Bois-d'Enghien qui gagne la droite.

LA BARONNE, *du fond* : Monsieur de Chenneviette ?

DE CHENNEVIETTE, *qui cause avec le général, à la baronne* : Mais, très honoré, Madame ! *(Au général.)* Vous permettez, Général ?

LE GÉNÉRAL : Yo vous prie, Cheviotte !

Il continue de causer avec Lucette.

LA BARONNE, *à Bouzin, dans le second salon* : Eh ! mais, c'est Monsieur que j'ai vu ce matin !

BOUZIN, *la reconnaissant* : Ah ! Madame la baronne !... Ah ! bien, si je m'attendais !... On est en pays de connaissance, alors !...

LA BARONNE : Mon Dieu, oui ! *(Bouzin, le notaire, Viviane, Fontanet et Chenneviette disparaissent dans la coulisse ; du fond à Lucette.)* Vous ne voulez pas assister, Madame ?...

BOIS-D'ENGHIEN, *sursautant* : Hein !

LUCETTE : Mon Dieu, Madame, je vais achever mes petits préparatifs ici !

Elle va à l'armoire chercher un corsage que Marceline y a précédemment accroché.

LA BARONNE : Comme vous voudrez, Madame !...

BOIS-D'ENGHIEN, *poussant un soupir de soulagement* : Ouf !

LA BARONNE, *au général* : Et vous, Général ?

LE GÉNÉRAL, *s'inclinant* : Yo vous rends grâce ! yo reste avec mamoisselle Gautier !

Il descend à l'extrême gauche.

LA BARONNE, *à part* : Naturellement. *(Haut.)* Venez, Bois-d'Enghien !...

Elle sort.

BOIS-D'ENGHIEN, *empressé* : Voilà, voilà !

LUCETTE, *redescendant presqu'à la chaise longue, avec son corsage dont elle défait les lacets* : Ah ! tu ne vas pas y aller, toi ?

BOIS-D'ENGHIEN, *subitement cloué au sol* : Ah ! tu crois que… ?

LUCETTE : Mais non ! qu'est-ce que ça te fait, leur contrat ?

BOIS-D'ENGHIEN, *prenant l'air indifférent* : Oh !

LUCETTE : Est-ce que ça t'intéresse ?

BOIS-D'ENGHIEN, *même jeu* : Moi ! Oh ! la, la, la, la !

LE GÉNÉRAL, *comme un argument sans réplique* : Est-ce qué yo l'y vais, moi ?… Bueno ?…

BOIS-D'ENGHIEN : Oh ! vous, parbleu, tiens !… *(À part, au public.)* Il me paraît bien difficile, cependant, de ne pas assister à mon contrat !

LUCETTE, *remontant vers l'armoire* : Si tu y tiens absolument, tu iras un peu à la fin…

BOIS-D'ENGHIEN, *saisissant la balle au bond* : Ah ! oui !

LUCETTE, *s'arrêtant en route* : … Avec moi !

Elle achève d'aller à l'armoire et raccroche son corsage.

BOIS-D'ENGHIEN, *à part* : Ah ! bien, ça serait le bouquet !

TOUS, *dans la coulisse* : Bois-d'Enghien ! Bois-d'Enghien !

BOIS-D'ENGHIEN, *à part* : Allons, bon ! les autres maintenant !… *(Haut et agacé.)* Voilà ! voilà !

LUCETTE, *redescendant à la chaise longue* : Mais qu'est-ce qu'ils ont après toi ?

BOIS-D'ENGHIEN, *affectant de rire* : Je ne sais pas ! je me le demande !

Tout le monde paraît au fond, à l'exception du notaire.

LA BARONNE* : Eh bien ! venez donc Bois-d'Enghien ! Qu'est-ce que vous faites ? *(Montrant Bouzin qui est allé se placer par habitude de bureaucrate derrière la table de droite.)* Monsieur vous attend pour lire le contrat !

LE GÉNÉRAL, *apercevant Bouzin et bondissant* : Boussin !

BOUZIN : Le général ici ! sauvons-nous !

Poursuite autour de la table en va-et-vient en sens contraire de la part du général et de Bouzin, puis en faisant le tour complet de la table au milieu du tumulte général.

LE GÉNÉRAL, *faisant la chasse à Bouzin* : Boussin ici ! Encore Boussin ! Attends, Boussin ! C'est oun homme morte, Boussin !

Bouzin s'est sauvé par la droite, en faisant tomber au passage la chaise, qui est près de la porte, dans les jambes du général. Le général l'enjambe.

* Ch. — Le G. — M. — L. — B. — d'E. — La B. — V. — F. — B.

LA BARONNE, *dans le tumulte général* : Eh bien ! qu'est-ce qu'il y a ? Où vont-ils ?

LUCETTE : Ne craignez rien, Madame ! Courez, de Chenneviette… séparez-les.

DE CHENNEVIETTE : J'y vole !

Pendant ce dialogue très rapide au milieu du brouhaha général, ce qui en fait presque une pantomime, Bouzin s'est sauvé par la droite en faisant tomber au passage la chaise qui est à droite de la porte, dans les jambes du général. Le général enjambe la chaise, Bois-d'Enghien, qui s'est précipité, tient le général par une basque de son habit. Chenneviette qui s'est lancé à son tour enlève à bras-le-corps Bois-d'Enghien qui lui obstrue le passage, le rejette derrière lui et se précipite à la poursuite. — Affolement des personnages qui restent. Un instant après, on aperçoit dans le second salon la poursuite qui continue. Bouzin traverse le premier le fond en courant, puis, successivement, le général et Chenneviette.

LA BARONNE : Mais en voilà une affaire ! Qu'est-ce que c'est que cet homme-là ! Qu'est-ce qu'il a après ce garçon ?

LUCETTE : Excusez-le, Madame, je vous en prie !

LA BARONNE : Enfin, c'est très désagréable ces histoires chez moi. *(Les deux femmes continuent de parler à la fois : Lucette pour excuser le général, la baronne pour manifester son mécontentement. Enfin d'une voix impérative.)* Voyons ! finissons-en ! Nous avons un contrat à lire... Bois-d'Enghien ! donnez le bras à ma fille et venez.

Elle remonte.

LUCETTE*, *prise de soupçon* : Mais... Pourquoi M. Bois-d'Enghien ?

LA BARONNE, *sous le coup de l'émotion et sans réfléchir* : Comment, pourquoi ?... Parce que c'est son fiancé !

LUCETTE : Son fiancé, lui... *(Poussant un cri strident.)* Ah !

Elle s'évanouit.

TOUS : Qu'est-ce qu'il y a ?

MARCELINE, *qui a reçu Lucette dans ses bras* : Ah ! mon Dieu, ma sœur ! du secours ! elle se trouve mal !...

Tout le monde — à l'exception de la baronne et de Viviane qui, redescendues, restent pétrifiées sur place — entoure Lucette qu'on étend sans connaissance sur la chaise longue.

BOIS-D'ENGHIEN (5), *revenant à la baronne, lui*

* M. à gauche du canapé. — F. au-dessus. — L. à droite. — La B. — V. — B. d'E.

faisant carrément une scène : Là ! voilà ! ça y est ! Vous avez prononcé le mot de fiancé, voilà !

LA BARONNE (6) : Moi !

VIVIANE (7), *faisant aussi une scène à sa mère* : Mais oui, toi !

BOIS-D'ENGHIEN : Et on vous prévient !

Il retourne à Lucette.

VIVIANE : Puisqu'on t'avait dit de ne pas parler de fiancé !

La baronne énervée hausse les épaules.

LE GÉNÉRAL, *entrant vivement par le fond gauche, emboîté par Chenneviette* : Voilà ! yo viens de le flanquer par la porte, Boussin !

DE CHENNEVIETTE, *à part, s'épongeant le front* : Oh ! quelle soirée, mon Dieu !

LE GÉNÉRAL, *apercevant Lucette évanouie* : Dios ! quel il a Loucette ! il est malade ! *(Allant à elle.)* Loucette !

BOIS-D'ENGHIEN*, *quittant Lucette et frappant dans ses mains pour presser les gens* : Vite, du vinaigre, des sels !

MARCELINE : J'y cours !

Elle sort par la gauche pendant que Bois-

* M. à gauche de la chaise longue. — Ch. au-dessus à gauche. — F. au-dessus au centre. — Le général à droite. Tous quatre entourant Lucette évanouie et étendue. — B. d'E. (6) un peu au-dessous du G. — La B. — V.

d'Enghien, la baronne et Viviane, comme des gens qui ne savent où donner de la tête, vont chercher des sels sur la toilette du fond.

LE GÉNÉRAL, *tapant dans les mains de Lucette pendant que Chenneviette en fait autant de l'autre côté* : Mamoisselle Gautier ! révénez à moi… révénez à moi !

DE FONTANET, *qui est derrière la chaise longue, naïvement en se penchant sur la figure de Lucette* : Il faudrait lui faire respirer de l'air pur…

BOIS-D'ENGHIEN, *revenant avec un flacon de sels* : Oui, eh bien ! alors retirez-vous de là !

DE CHENNEVIETTE ET LE GÉNÉRAL : Oui, allez-vous-en ! allez-vous-en !

BOIS-D'ENGHIEN, *vivement, repassant au milieu de la scène* : C'est ça, allons-nous-en tous ! *(À la baronne et à Viviane qui sont un peu remontées.)* Laissons ces messieurs avec elle, nous finirons de signer par là, nous !…

TOUS : Oui, oui, c'est ça !

LE GÉNÉRAL, *d'une voix forte, au moment où Bois-d'Enghien va partir avec les deux femmes* : Oun clé ! qu'il il a oun clé ?

BOIS-D'ENGHIEN, *très affairé, tirant une clé de sa poche, la donne au général et remontant tout en parlant* : Une clé, voilà. Pourquoi ?

LE GÉNÉRAL : Gracias !

Il la met dans le dos de Lucette.

BOIS-D'ENGHIEN, *redescendant pour prendre sa clé* : Mais vous êtes fou ! c'est la clé de mon appartement ! elle ne saigne pas du nez !

LE GÉNÉRAL, *qui a mis la clé dans le dos* : Yo veux voir si ça fait le même !

LA BARONNE, *s'impatientant, à Bois-d'Enghien* : Eh bien ! voyons ! allons par là, nous !

BOIS-D'ENGHIEN, *cavalcadant sur place comme un homme attiré de deux côtés* : Voilà, voilà ! *(À part.)* Je signe et je reviens.

Tout le monde sort, à l'exception de Fontanet, du général, de Chenneviette et de Lucette évanouie. Les portes du fond se referment. Elles ne s'ouvrent plus, jusqu'à la fin de l'acte, qu'à deux vantaux.

SCÈNE XV

LUCETTE, DE FONTANET,
LE GÉNÉRAL, DE CHENNEVIETTE

LE GÉNÉRAL : Vite ! dé l'eau, dou vinaigre ! quéqué chose ! oun liquide !

DE FONTANET, *remontant chercher de l'eau à la toilette du fond* : Attendez ! Attendez !

DE CHENNEVIETTE : Quelle aventure, mon Dieu !

LE GÉNÉRAL : Ah ! Dios mios ! Mamoisselle Gautier ! Revenez à moi !... Revenez à moi, mamoisselle Gautier !

DE FONTANET, *revenant avec une serviette imbibée d'eau* : Voilà de l'eau !

LE GÉNÉRAL : Gracias ! *(Lui tamponnant le front et suppliant.)* Réviens à moi, Gautier !... Gautier, réviens à moi !...

DE FONTANET, *qui est remonté à sa place première, derrière la chaise longue* : Vous ne croyez pas que si je lui soufflais sur le front...

DE CHENNEVIETTE ET LE GÉNÉRAL, *le repoussant d'un bras et vivement, avec un ensemble touchant* : Non !

DE FONTANET, *redescendant au 3 au milieu de la scène* : La pauvre femme ! ce qui l'a mise dans cet état, c'est le mariage de Bois-d'Enghien...

DE CHENNEVIETTE, *sursautant et à part* : Allons, bon !

LE GÉNÉRAL, *sans cesser de tamponner Lucette, regardant Fontanet* : Dou tenor ! qu'il loui fait soun mariache ?

DE FONTANET : Tiens, vous êtes bon, c'est son amant !

LE GÉNÉRAL, *bondissant et rejetant sa serviette sans s'apercevoir que c'est sur la figure de Lucette* : Hein !

DE CHENNEVIETTE, *à part, indiquant Fontanet* : Là ! l'autre crétin ! *(Apercevant la serviette sur la figure de Lucette.)* Oh !

Il la retire et la tamponne à la place du général.

LE GÉNÉRAL, *sautant à la gorge de Fontanet et le secouant comme un prunier* : Qu'ousqué tou dis ? Bodégué… il est soun amant ?…

DE FONTANET, *dans la figure du général* : Mais oui, qu'est-ce que vous avez ?

LE GÉNÉRAL, *qui a reçu l'haleine de Fontanet dans le nez, a un soubresaut, fait pfff… pour chasser l'odeur ; puis continuant à le secouer mais en ayant soin de tourner la tête au-dessus de son épaule droite* : Il est soun amant, Bodégué ?

DE FONTANET, *à moitié étranglé* : Mais lâchez-moi ! voyons ! qu'est-ce qui vous prend ?

SCÈNE XVI

LES MÊMES, BOIS-D'ENGHIEN

BOIS-D'ENGHIEN, *arrivant vivement du fond* : Eh bien ! ça va-t-il mieux ?

LE GÉNÉRAL, *repoussant Fontanet qui manque de tomber et sautant à la gorge de Bois-d'Enghien qu'il fait pirouetter de façon à le faire passer du 3 au 4* : C'est vous qui l'est l'amant de mamoisselle Gautier ?

BOIS-D'ENGHIEN, *suffoqué* : Quoi ! qu'est-ce qu'il y a ?

LE GÉNÉRAL, *le secouant* : C'est vous qui l'est l'amant ?

DE FONTANET, *à part* : Oh ! j'ai fait une gaffe !

Il s'esquive par le fond.

BOIS-D'ENGHIEN : Vous n'avez pas fini ? Voulez-vous me lâcher !

DE CHENNEVIETTE, *essayant de les calmer sans quitter Lucette* : Voyons ! voyons !

LE GÉNÉRAL, *rejetant Bois-d'Enghien, et bien large* : Bodégué ! vous l'est qu'oun rastaquouère[1] ?...

BOIS-D'ENGHIEN : Moi !

LE GÉNÉRAL : Vouss ! et yo vous touerai.

Il retourne à Lucette, lui tape dans les mains.

BOIS-D'ENGHIEN, *furieux* : Ah ! là ! me tuer ! Pourquoi d'abord ? pourquoi ?

LE GÉNÉRAL, *revenant à lui et d'une voix forte* : Porqué yo l'aime et qué yo soupporte pas il est oun baguette dans mes roues !

BOIS-D'ENGHIEN, *criant plus fort que lui* : Eh bien ! vous voyez bien que je me marie !... Qu'est-ce que je demande ? C'est que vous m'en débarrassiez, de votre Lucette !

LE GÉNÉRAL, *subitement calmé* : C'est vrai ? Alors, vous n'aimez plus Loucette ?

BOIS-D'ENGHIEN, *criant toujours et articulant chaque syllabe* : Mais puisque je me marie, voyons !

LE GÉNÉRAL : Ah ! Bodégué ! vous êtes oun ami !

Il lui serre les mains.

DE CHENNEVIETTE : Elle rouvre les yeux !

BOIS-D'ENGHIEN : Laissez-moi seul avec elle ! je vais tenter un dernier va-tout !

LE GÉNÉRAL, *sortant* : Bueno, yo vous laisse ! *(À Lucette, en s'en allant.)* Réviens à lui… Gautier !… Gautier !… Réviens à lui !…

Ils sortent par le fond. Bois-d'Enghien referme la porte sur eux.

SCÈNE XVII

BOIS-D'ENGHIEN, LUCETTE,
puis la voix de LA BARONNE

LUCETTE, *revenant à elle* : Qu'ai-je eu ? qu'ai-je eu ?

BOIS-D'ENGHIEN, *se précipitant à ses genoux* : Lucette !

LUCETTE, *posant tendrement ses mains sur les épaules de Bois-d'Enghien, et d'une voix plaintive* : Toi ! toi ! c'est toi… mon chéri ?

BOIS-D'ENGHIEN : Lucette, pardonne-moi, je suis un grand coupable ! pardon !

À ces mots, l'expression de la figure de Lucette change, on sent que la mémoire lui revient peu à peu.

LUCETTE, *brusquement, le repoussant, ce qui manque*

de le faire tomber en arrière : Ah ! ne me parle pas ! Tu me fais horreur !

Elle s'est levée et gagne la droite.

BOIS-D'ENGHIEN, *allant à elle en marchant sur les genoux, suppliant* : Lulu, ma Lulu !

LUCETTE, *la parole hachée par l'émotion* : Ainsi, c'est vrai !… ce contrat qu'on signait tout à l'heure ?… c'était le tien !

BOIS-D'ENGHIEN, *se levant, et comme un coupable qui avoue* : Eh bien ! oui, là ! c'était le mien !

LUCETTE : C'était le sien ! Il l'avoue !… *(Avec dégoût.)* Ah ! misérable !

BOIS-D'ENGHIEN, *suppliant* : Lucette !

LUCETTE, *l'arrêtant d'un geste, avec un rictus amer* : C'est bien ! je sais ce qu'il me reste à faire !

Elle a un grand geste dans la main qui signifie : « Le sort est jeté », et passe à gauche.

BOIS-D'ENGHIEN, *inquiet* : Quoi ?

LUCETTE, *ouvrant son sac dans lequel elle fouille* : Tu sais ce que je t'ai promis ?

BOIS-D'ENGHIEN, *à part* : Qu'est-ce qu'elle m'a donc promis ?

LUCETTE, *d'une voix étranglée* : C'est toi qui l'auras voulu ! *(Tirant un revolver de son sac et sanglotant.)* Adieu et sois heureux !

BOIS-D'ENGHIEN, *se précipitant pour la désarmer, et lui paralysant les bras en la tenant à bras-le-corps* :

Lucette ! Voyons, tu es folle ! Lucette, au nom du ciel !

LUCETTE, *se débattant* : Veux-tu me laisser... veux-tu me laisser !

BOIS-D'ENGHIEN, *tâchant de prendre l'arme, et cherchant en même temps tous les arguments pour la calmer* : Lucette... je t'en supplie... grâce !... d'abord par convenance... ça ne se fait pas chez les autres.

LUCETTE, *avec un rire amer* : Ah ! ah ! c'est ça qui m'est égal !...

BOIS-D'ENGHIEN, *affolé et la tenant toujours* : Et puis, écoute-moi !... quand tu m'auras entendu, tu verras... tu te rendras compte !... tandis que, si tu te tues, je ne pourrai pas t'expliquer...

LUCETTE, *se dégageant* : Eh bien ! quoi ? quoi ?

BOIS-D'ENGHIEN, *vivement* : Donne-moi ce pistolet !

LUCETTE, *parant le mouvement de Bois-d'Enghien* : Non, non ! Parle ! parle, d'abord !

BOIS-D'ENGHIEN, *avec désespoir* : Oh ! mon Dieu !

VOIX DE LA BARONNE, *dans la coulisse* : Bois-d'Enghien ! Bois-d'Enghien !

BOIS-D'ENGHIEN, *exaspéré* : Voilà ! voilà ! *(Il remonte.)* Oh ! mon Dieu ! mon Dieu ! *(Haut, ouvrant la porte du fond et disparaissant à moitié.)* Voilà !

LUCETTE, *n'en pouvant plus* : Oh ! j'ai chaud !...

Elle tire sur le guidon du revolver, ce qui

fait sortir du canon un éventail avec lequel elle s'évente nerveusement[1].

BOIS-D'ENGHIEN, *à la cantonade, avec mauvaise humeur* : Eh bien ! oui, tout de suite ! *(Fermant la porte du fond.)* Ce qu'ils sont embêtants !

LUCETTE, *à part* : Ah ! il n'est pas encore fait, ton mariage, mon bonhomme !…

Elle referme l'éventail, remet le revolver dans le sac et remonte au-dessus du guéridon, à gauche de la chaise longue où elle s'agenouille.

BOIS-D'ENGHIEN, *allant à elle et suppliant* : Lucette, je t'en prie ! du courage ! au nom de notre amour même !

LUCETTE, *les bras en l'air, se laissant tomber tout de son long, à plat ventre, sur la chaise longue* : Notre amour ! est-ce qu'il existe encore ?

Elle sanglote, la figure cachée dans ses bras, et ses bras croisés et appuyés sur le sommet du dossier de la chaise longue.

BOIS-D'ENGHIEN, *s'accroupissant derrière la chaise longue de façon à faire face à Lucette quand elle relèvera la tête* : Comment, s'il existe !

LUCETTE, *relevant la tête avec des hoquets de douleur* : Puisque tu te maries !

BOIS-D'ENGHIEN, *même jeu* : Eh bien ! qu'est-ce que ça prouve ? Est-ce que la main droite n'est pas indépendante de la main gauche ?… Je me marie d'un côté et je t'aime de l'autre !

LUCETTE, *se redressant à moitié et les genoux sur la chaise longue, avec l'air d'abonder dans son sens ; d'une petite voix flûtée* : Oui ?

BOIS-D'ENGHIEN, *avec une conviction jouée* : Parbleu !

Il va la rejoindre à droite de la chaise longue en longeant le meuble.

LUCETTE, *à part, au public* : Oh ! comédien !

BOIS-D'ENGHIEN, *à part, tout en allant la rejoindre* : Ce que je la lâche, une fois marié !… *(Haut, en s'asseyant sur la chaise longue, côté droit.)* Ma Lulu !…

LUCETTE, *à genoux, côté gauche de la chaise longue ; jouant son jeu pour lui donner le change* : Mon nanan !… Tu m'aimes ?…

BOIS-D'ENGHIEN : Je t'adore !

LUCETTE : Chéri, va ! *(Elle se redresse, toujours à genoux, et sa main droite, en venant s'appuyer sur le guéridon, se pose sur le bouquet. À part.)* Oh ! quelle idée ! *(Reprenant la comédie qu'elle joue et les deux bras autour du cou de Bois-d'Enghien.)* Alors, nous pourrons nous aimer encore comme autrefois ?…

BOIS-D'ENGHIEN, *jouant la même comédie* : Mais dame !

LUCETTE, *avec une joie feinte* : Oh ! quelle joie !… moi qui me disais… Tu ne sais pas ce que je me disais ? « C'est fini, nos amours d'autrefois ! »

BOIS-D'ENGHIEN : Nos amours ? Oh ! la, la, la, la !

LUCETTE, *montrant le bouquet du général, en tenant toujours du bras gauche Bois-d'Enghien par le cou* : Tiens ! regarde ces fleurs des champs ! Elles ne te rappellent rien ?

BOIS-D'ENGHIEN, *sur le même ton sentimental* : Si !... Elles me rappellent la campagne !

LUCETTE, *avec un soupir, se redressant sur ses deux genoux et les bras en l'air, comme pour embrasser les images qu'elle évoque : pendant que Bois-d'Enghien, le bras droit autour de sa taille, l'écoute le corps un peu courbé* : Oui ! le temps où nous allions, comme deux étudiants, nous ébattre dans les blés !

BOIS-D'ENGHIEN, *à part* : Ah ! voilà ce que je craignais : « Les petits oiseaux dans la prairie » ; les « Te souviens-tu ? »

LUCETTE, *s'accroupissant à nouveau sur ses genoux pour rapprocher sa figure de la sienne en lui prenant le menton de la main droite* : Te souviens-tu... ?

BOIS-D'ENGHIEN, *à part, le menton dans la main de Lucette* : Là, qu'est-ce que je disais ?...

LUCETTE : ... Nous nous roulions dans l'herbe, et moi, je prenais un bel épi... comme ça... *(Elle tire un épi de seigle du bouquet.)* Et je te le mettais dans le cou !...

Profitant de ce que Bois-d'Enghien l'écoute, la tête un peu baissée, elle lui plonge l'épi dans le cou.

BOIS-D'ENGHIEN, *se débattant* : Oh ! voyons, qu'est-ce que tu fais ?

LUCETTE, *enfonçant toujours* : Et alors, il descendait… *(Appuyant sur chaque syllabe ou faisant au public un clignement de l'œil, comme pour dire : « Attends un peu ».)* Il descendait…

BOIS-D'ENGHIEN, *qui s'est levé, essayant de rattraper l'épi dans son cou* : Oh ! mais c'est stupide ! je ne peux pas le rattraper !

LUCETTE, *seule, à genoux sur la chaise longue, hypocritement et d'une voix flûtée* : Vrai ? il te gêne ?

BOIS-D'ENGHIEN : Mais dame !

LUCETTE, *avec une compassion feinte* : Aaah !… *(Changeant de ton.)* Eh ben !… Enlève-le !

BOIS-D'ENGHIEN, *faisant des efforts désespérés pour retirer l'épi* : Comment, « enlève-le » ! il est sous mon gilet de flanelle !

LUCETTE, *sur le ton le plus naturel* : Déshabille-toi !

BOIS-D'ENGHIEN, *furieux* : Ah ! tu es folle ! Ici ? Quand ma soirée de contrat a lieu à côté… ?

LUCETTE, *se levant et descendant en faisant le tour de la chaise longue* : Qu'est-ce que tu as à craindre ?… Nous fermons tout… *(Elle remonte et ferme au fond et à gauche, puis redescendant.)* Si on vient, on trouvera ça tout naturel, puisqu'on sait que j'ai à m'habiller ; on croira que tu es parti !…

BOIS-D'ENGHIEN : Mais non, mais non !…

LUCETTE, *avec lyrisme* : Ah ! tu vois bien que tu ne m'aimes plus !

BOIS-D'ENGHIEN : Mais si, mais si !

LUCETTE : Sans ça, tu ne regarderais pas à te déshabiller devant moi.

BOIS-D'ENGHIEN, *toujours occupé de son épi qui le gêne et sur le même ton que son « Mais non, mais non ! » et son « Mais si, mais si ! »* : Mon Dieu ! mon Dieu !... *(Jouant des coudes pour faire descendre son épi.)* Oh ! mais c'est affreux, ce que ça pique !...

LUCETTE : Mais ne sois donc pas bête !... va derrière ce paravent, et cherche-le, ton épi !

BOIS-D'ENGHIEN, *remontant* : Ah ! ma foi, tant pis ! je n'y tiens plus !... C'est bien fermé, au moins ?

LUCETTE : Mais oui, mais oui... *(Bois-d'Enghien pénètre derrière le paravent dont il développe les feuilles autour de lui ; pendant ce temps Lucette a une pantomime au public, un geste expressif de possession, en même temps qu'elle murmure à voix basse :* « Cette fois, je te tiens ! » *Puis pendant ce qui suit, elle va doucement tourner la crémone de la porte du fond, puis tirer le verrou de la porte de gauche.)* Et moi-même je vais commencer à m'habiller pour les choses que j'ai à chanter ! *(Elle est allée prendre sa jupe de théâtre dans l'armoire et redescend près de la chaise longue.)*

BOIS-D'ENGHIEN, *derrière le paravent* : C'est égal ! c'est raide, ce que tu me fais faire !

LUCETTE, *enlevant la jupe qu'elle a sur elle* : Quoi ? pourquoi ? Tu as un épi qui te gêne, c'est tout naturel que tu le cherches.

BOIS-D'ENGHIEN : Oh ! oui ! tu as une façon d'arranger les choses !... *(On aperçoit, au-dessus du paravent, sa chemise qu'il est en train d'enlever.)* Ah ! je le tiens, le coquin !

LUCETTE, *de la chaise longue, avec une passion simulée* : Tu l'as ! ah ! donne-le-moi ?

BOIS-D'ENGHIEN : Pourquoi ?

LUCETTE : Pour le garder, il a été sur ton cœur !

BOIS-D'ENGHIEN, *tout en restant à demi abrité par le paravent, il paraît en pantalon et en gilet de flanelle, le fameux épi à la main* : Mais non ! je l'avais dans les reins.

Il fait mine de retourner derrière son paravent.

LUCETTE : Donne-le tout de même !

BOIS-D'ENGHIEN, *le lui apportant* : Le voilà !

Il veut retourner au paravent, mais Lucette a mis le grappin sur sa main et d'un mouvement brusque l'attire à elle.

LUCETTE, *avec une admiration feinte* : Oh ! que tu es beau comme ça !

BOIS-D'ENGHIEN, *fat* : Oh ! voyons !...

Il fait mine de retourner, Lucette l'attire de nouveau à elle.

LUCETTE, *même jeu* : Est-il beau ! mon Dieu, est-il beau !

BOIS-D'ENGHIEN : Je t'assure ! Si on entrait… c'est bien fermé ?…

LUCETTE : Mais oui, mais oui… *(L'attirant contre elle.)* Ah ! te sentir là près de moi… *(Se frappant sur la poitrine de la main droite, tout en le tenant de la main gauche.)* Tout à moi !… en gilet de flanelle !…

BOIS-D'ENGHIEN : Oh ! voyons !

LUCETTE : Et quand je pense… quand je pense que tout cela va m'être enlevé. Oh ! non, non, je ne veux pas… je ne veux pas !… *(Elle l'a saisi n'importe comment par le cou, ce qui le fait glisser à terre, tandis qu'elle se laisse tomber assise sur le canapé paralysant ses mouvements en le tenant toujours par le cou.)* Mon Fernand, je t'aime, je t'aime, je t'aime.

Elle finit par le crier.

BOIS-D'ENGHIEN, *affolé* : Mais tais-toi donc ! mais tais-toi donc ! Tu vas faire venir !

Musique de scène[1].

LUCETTE, *criant* : Ça m'est égal ! qu'on vienne !… On verra que je t'aime. Oh ! mon Fernand ! je t'aime, je t'aime !…

Elle sonne, la main droite appuyée sur le timbre électrique qui retentit tant et plus.

BOIS-D'ENGHIEN, *à genoux et toujours tenu par le cou, perdant la tête* : Allons, bon ! le téléphone à présent !… On sonne au téléphone ! Oh ! la, la !… mais tais-toi donc ! tais-toi donc !

Pendant tout ce qui précède, cris continus de Lucette.

VOIX AU-DEHORS : Qu'est-ce qu'il y a ? Ouvrez !

BOIS-D'ENGHIEN : On n'entre pas ! Mais tais-toi donc ! Mais tais-toi donc !

La porte du fond cède et tous les personnages de la soirée paraissent à l'embrasure. Marceline paraît à gauche.

SCÈNE XVIII

LES MÊMES, LA BARONNE,
VIVIANE, DE CHENNEVIETTE,
LE GÉNÉRAL, MARCELINE,
DE FONTANET,
INVITÉS, INVITÉES

TOUT LE MONDE* : Oh !

BOIS-D'ENGHIEN : On n'entre pas, je vous dis ! On n'entre pas !

LA BARONNE, *cachant la tête de sa fille contre sa poitrine* : Horreur ! En gilet de flanelle !

* M. — L. sur la chaise longue. — Ch. et P. au-dessus. — B. d'E. — La B. — V.

LUCETTE, *comme sortant d'un rêve* : Ah ! jamais ! jamais je n'ai été aimée comme ça !

BOIS-D'ENGHIEN : Qu'est-ce qu'elle dit ?

TOUS : Quel scandale !...

LA BARONNE : Une pareille chose chez moi ! sortez, Monsieur ! Tout est rompu[1] !...

BOIS-D'ENGHIEN : Mais, Madame !...

LE GÉNÉRAL, *qui vient d'entrer, et descendant vers Bois-d'Enghien* : Demain, à le matin, yo vous touerai !

BOIS-D'ENGHIEN, *désespéré* : Mon Dieu ! mon Dieu !...

RIDEAU

ACTE III

Le théâtre est divisé en deux parties. La partie droite, qui occupe les trois quarts de la scène, représente le palier du deuxième étage d'une maison neuve ; au fond, escalier praticable très élégant, montant de droite à gauche. Contre la cage de l'escalier, face au public, une banquette. Au premier plan, à droite, porte donnant sur l'appartement de Bois-d'Enghien ; bouton électrique à la porte ; à droite de la porte, un siège en X appareillé à la banquette. À gauche, premier plan, dans la cloison qui coupe le théâtre en deux, et formant vis-à-vis à la porte de droite, autre porte ouvrant directement sur le cabinet de toilette de Bois-d'Enghien. La porte se développe intérieurement dans le cabinet, de l'avant-scène vers le fond. C'est ce cabinet de toilette qui forme la partie gauche du théâtre. À gauche, deuxième plan, une fenêtre ouvrant sur l'intérieur. Au fond à gauche, face au public, une porte à un battant ouvrant extérieurement sur un couloir. À droite de la porte, grande toilette-lavabo avec tous les ustensiles de toilette, flacons, brosses, peignes, éponges, verre et brosse à dents, serviettes, etc. À gauche, premier plan, une chaise avec, dessus, des vêtements d'homme pliés ; au-dessus, un fauteuil. Entre le fauteuil et la fenêtre, une patère à laquelle est suspendu un peignoir de femme ; par terre, une paire de mules de femme. À la cloison de droite, près du lavabo, portemanteau à trois champignons. Les deux portes du palier sont munies à l'intérieur de vraies serrures ouvrant et fermant à clé.

SCÈNE PREMIÈRE

JEAN, *puis* UN FLEURISTE

Au lever du rideau, Jean, dans le cabinet de toilette, et près du fauteuil, est en train de faire les bottines de son maître. Il tient une bottine à la main et la frotte avec une flanelle.

JEAN, *tout en frottant* : C'est épatant !… le lendemain du soir où l'on a signé son contrat, ne pas être encore rentré à dix heures du matin ! C'est épatant ! *(Il pose la bottine qu'il tenait et prend l'autre qu'il frotte également.)* Moi, je ne pose pas pour la morale, mais quand on est fiancé on doit rentrer coucher chez soi… *(Il souffle sur la bottine pour la faire reluire.)* Ou alors on fait ce que je faisais… on couche avec sa future femme !… *(Le fleuriste, qui est monté pendant ce qui précède avec une corbeille de fleurs sur la tête, s'arrête sur le palier, regarde la porte de droite et celle de gauche, et va sonner à droite.)* Qui est-ce qui sonne ! Ça n'est pas monsieur, il a sa clé. *(Indiquant la porte au fond qui ouvre sur le couloir.)* Ah ! bien, si tu crois que je vais faire le tour pour t'ouvrir… *(Il ouvre la porte du cabinet qui donne sur le palier.)* Quoi ? qu'est-ce que c'est ?

LE FLEURISTE, *de l'autre côté du palier, va à lui* : Ah ! pardon !… le mariage Brugnot ?

JEAN, *avec humeur* : Eh ! c'est au-dessus, le mariage Brugnot ! au troisième !

LE FLEURISTE : Le concierge m'a dit au deuxième.

JEAN : Eh bien ! oui ! au-dessus de l'entresol.

LE FLEURISTE : Je vous demande pardon.

Jean referme la porte avec mauvaise humeur. Le fleuriste monte au-dessus.

JEAN : C'est assommant ! C'est le sixième depuis ce matin pour le mariage Brugnot. Si ça continue, je mettrai un écriteau : « La mariée est au-dessus ! »

SCÈNE II

JEAN, BOIS-D'ENGHIEN

Bois-d'Enghien en habit, sous son paletot, l'air défait, la chemise chiffonnée, la cravate mise de travers, paraît sur le palier.

BOIS-D'ENGHIEN : En voilà une nuit !

Il sonne à droite longuement.

JEAN : Allons, bon ! encore un pour le mariage Brugnot ! *(Ouvrant brusquement la porte du cabinet de toilette sur le palier et d'un air dur.)* C'est pas ici, c'est au-dessus !

BOIS-D'ENGHIEN : Hein ?

JEAN, *reconnaissant Bois-d'Enghien* : Monsieur ! Comment, c'est Monsieur !

BOIS-D'ENGHIEN, *grincheux, entrant dans le cabinet, et gagnant le 1* : Vous voyez bien que c'est moi !

JEAN (2) : Oh ! Monsieur, dix heures du matin ! un lendemain de soirée de contrat ! Est-ce que c'est une heure pour rentrer ?

BOIS-D'ENGHIEN, *même jeu* : Ah ! fichez-moi la paix !

JEAN : Oui, Monsieur !

BOIS-D'ENGHIEN, *donnant à Jean son paletot et son chapeau* : Non, je vous conseille de parler... vous à cause de qui j'ai dû passer ma nuit à l'hôtel !

JEAN : À l'hôtel, à cause de moi ?

BOIS-D'ENGHIEN : Absolument ! Si vous aviez été là quand je suis rentré cette nuit... Mais non, j'ai eu beau sonner, carillonner...

JEAN : Mais Monsieur n'avait donc pas sa clé ?

BOIS-D'ENGHIEN : Mais si !... je l'avais bien emportée ; seulement je l'ai oubliée dans le dos de quelqu'un !

JEAN, *allant accrocher le chapeau et le paletot à la*

patère de droite : Ah ! si Monsieur laisse sa clé n'importe où !

BOIS-D'ENGHIEN, *enlevant son habit, son gilet, sa cravate et son faux col pendant ce qui suit* : Est-ce que c'est ma faute !... D'abord pourquoi n'étiez-vous pas là ? Où étiez-vous ?

JEAN : Monsieur le demande ! Mais chez ma femme ! chez Mme Jean... C'était mon jour... Monsieur sait bien qu'il m'a autorisé une fois par semaine à honorer Mme Jean.

BOIS-D'ENGHIEN : Oui. Eh bien ! vous êtes embêtant avec Mme Jean.

JEAN, *piqué* : Embêtant... pour Monsieur !

BOIS-D'ENGHIEN : Naturellement, pour moi.

JEAN : Ah ! oui ! parce que pour Mme Jean...

BOIS-D'ENGHIEN, *rageur* : Qu'est-ce que ça me fait, Mme Jean. Je ne m'occupe que de moi là-dedans.

JEAN, *narquois* : Je le vois, Monsieur.

BOIS-D'ENGHIEN, *même jeu* : Je vous demande un peu ce qu'elle a de si attrayant, Mme Jean !

JEAN : Monsieur me dispensera de lui donner des détails... Je dirai seulement à Monsieur que je n'ai pas encore de petits Jean, et comme ce n'est pas Monsieur qui m'en donnera... ni personne...

BOIS-D'ENGHIEN : Allons, c'est bon... Et tenez, au lieu de tenir des propos inutiles et pendant que j'y pense, à cette clé, vous allez me faire le plaisir d'aller tout de suite...

JEAN, *sans attendre la fin de la phrase* : ... La réclamer, oui, Monsieur.

Il remonte.

BOIS-D'ENGHIEN, *l'arrêtant* : Mais non ! mais non ! Attendez donc ! Je la laisse où elle est !... Mais d'aller chercher un serrurier pour qu'il me mette une autre serrure à laquelle mes anciennes clés ne pourront pas aller.

JEAN : Ah ! bon, oui, Monsieur.

Il remonte pour sortir par le fond.

BOIS-D'ENGHIEN, *lui indiquant la porte du palier* : Non, tenez, passez par là... ce sera plus vite fait.

JEAN : Bien, Monsieur. Monsieur a là tout ce qu'il faut pour se changer.

BOIS-D'ENGHIEN : Bon, bon, faites vite !

Jean sort, sans la fermer, par la porte donnant sur le palier et descend.

SCÈNE III

BOIS-D'ENGHIEN,
puis un MONSIEUR *et une* DAME

BOIS-D'ENGHIEN, *s'asseyant sur le fauteuil et enlevant son pantalon* : Ah ! je m'en souviendrai de la nuit du 16 avril 1893 ! Elle doit être contente de son ouvrage, Lucette… Un scandale épouvantable ; moi, expulsé de la maison ; mon mariage fichu… Elle doit être contente. Oh ! mais si elle croit qu'elle l'emportera en paradis. *(Il est en caleçon et va à sa toilette dont il fait couler le robinet pour remplir sa cuvette.)* Et par-dessus le marché, cette nuit, dans cet hôtel… en habit… sans linge, sans rien de ce qu'il faut pour la toilette… J'ai dû coucher avec ma chemise de jour ! Ah ! je m'en souviendrai !

Il se plonge la tête dans sa cuvette et se débarbouille.

Le monsieur et la dame paraissent sur le palier. Le monsieur va pour monter plus haut.

LA DAME, *indiquant la porte entrebâillée* : Mais non, mon ami, ça doit être là.

LE MONSIEUR : Tu crois ?

LA DAME : Mais oui, tu vois la porte est entrebâillée comme ça se fait les jours de cérémonie !

LE MONSIEUR : Ah ? je veux bien. *(Il entre carrément, suivi de sa femme, chez Bois-d'Enghien.)* C'est drôle, tu crois que c'est là… ?

Il gagne le 1.

BOIS-D'ENGHIEN, *du fond, la figure ruisselante d'eau et son éponge à la main* : Eh bien ! qu'est-ce que vous demandez ?

LE MONSIEUR ET LA DAME : Oh !

La dame passe à l'extrême gauche.

LE MONSIEUR (2) : Oh ! pardon !

LA DAME (1) : Un homme déshabillé !

BOIS-D'ENGHIEN (3) : Qu'est-ce que vous voulez ?

LE MONSIEUR, *interloqué* : Le mariage Brugnot, ça n'est pas ici ?

BOIS-D'ENGHIEN : Mais vous le voyez bien que ce n'est pas ici... c'est au-dessus... En voilà des façons d'entrer quand je fais ma toilette.

LA DAME, *passant au 3* : Aussi, Monsieur, on ferme sa porte quand on est dans cette tenue.

BOIS-D'ENGHIEN (2) : Non, mais c'est ça, attrapez-moi encore !... Je ne vous ai pas prié d'entrer ! ce n'est pas « entrée libre » ici... Allez-vous-en, voyons ! Allez-vous-en !

Il leur ferme la porte au nez.

LE MONSIEUR : Quel butor !

BOIS-D'ENGHIEN : Non, elle est bonne encore celle-là !...

Il s'essuie la figure.

LE MONSIEUR, *montant à la suite de sa femme* : Mais tu vois ! Je savais bien que c'était au-dessus.

LA DAME : Qu'est-ce que tu veux, mamour, on peut se tromper[1].

Ils disparaissent.

BOIS-D'ENGHIEN : Il ne me manque plus que de

faire le métier de concierge ici ! Aussi c'est la faute à cet imbécile de Jean qui ne ferme pas sa porte en s'en allant.

SCÈNE IV

BOIS-D'ENGHIEN, BOUZIN,
puis LE GÉNÉRAL,
puis LE FLEURISTE

Bouzin venant du bas arrive sur le palier et va vers la porte de droite.

BOUZIN : Bois-d'Enghien... au deuxième ! C'est ici !

Il sonne à droite.

BOIS-D'ENGHIEN, *qui a versé de l'eau dans son verre de toilette et s'apprête à se laver les dents* : Allons, bon ! On sonne, et Jean qui n'est pas là. Qui est-ce qui peut venir à cette heure-ci ! Tant pis ! On attendra !

BOUZIN : Ah ! çà, il n'y a donc personne !

Il ressonne.

BOIS-D'ENGHIEN : Encore !... Je ne peux pourtant pas aller ouvrir dans ce costume !

BOUZIN, *s'impatientant* : Eh bien ! voyons !

Il sonne longuement.

BOIS-D'ENGHIEN, *entrouvrant sa porte et passant la tête tout en dissimulant son corps derrière le battant de la porte* : Quoi ? Qu'est-ce que c'est ?

BOUZIN, *traversant le palier* : Ah ! Monsieur Bois-d'Enghien, c'est moi !

BOIS-D'ENGHIEN : Vous ! Qu'est-ce que vous voulez ? Je ne suis pas visible !

Il veut refermer sa porte.

BOUZIN, *l'empêchant de fermer* : Ce ne sera pas long, Monsieur ! C'est Me Lantery qui m'envoie…

BOIS-D'ENGHIEN, *même jeu* : Mais non, voyons ! Je m'habille !…

BOUZIN, *même jeu* : Oh ! moi, Monsieur, ça n'a pas d'importance.

BOIS-D'ENGHIEN : Après tout, comme vous voudrez… Quoi ? Qu'est-ce qu'il y a ?

Bouzin entre dans le cabinet de toilette dont Bois-d'Enghien referme la porte.

BOUZIN (1) : Eh bien ! voilà ! C'est Me Lantery qui m'a chargé de vous remettre cet exemplaire de votre contrat.

Il tire un contrat plié de sa poche.

BOIS-D'ENGHIEN : De mon contrat ! Ah ! bien, il tombe bien ! Il est joli mon contrat ! Vous pouvez le déchirer mon contrat !

BOUZIN : Comment ?

BOIS-D'ENGHIEN : Mais d'où arrivez-vous ? Vous

ne savez donc pas qu'il est rompu, mon mariage ? Et tenez. *(Mettant sa brosse à dents dans sa bouche et l'y maintenant par la pression des mâchoires, tandis qu'il prend le contrat des mains de Bouzin.)* Voilà ce que j'en fais de votre contrat !

Il le déchire en deux.

BOUZIN : Oh ! Eh bien ! et moi qui étais chargé de vous remettre la note des frais et honoraires.

BOIS-D'ENGHIEN, *avec un rire amer, pendant que Bouzin ramasse les morceaux du contrat* : Ah ! ah ! ah ! la note des frais ! Ah ! ah ! ah ! la note des frais… Ah ! il en a de bonnes ! Tout est rompu et il faudrait encore que ça me coutât de l'argent. Ah ! non !

BOUZIN : Cependant…

Pendant ce qui précède, le général, avec une figure où se dissimule mal une colère contenue, surgit de l'escalier et sonne à droite.

BOIS-D'ENGHIEN : Allons bon !… Qui est-ce qui vient là encore ?

BOUZIN : Pardon, mais…

BOIS-D'ENGHIEN : Oui, oui, tout à l'heure ! Tenez, voulez-vous me rendre un service… je n'ai personne pour ouvrir, voulez-vous y aller ?

BOUZIN : Volontiers !

Il fait mine d'aller à la porte du palier.

BOIS-D'ENGHIEN, *l'arrêtant et lui indiquant la porte*

du fond : Non. Tenez, par là !... Vous suivez le couloir et à droite... Vous m'excuserez et vous direz que je ne puis recevoir.

BOUZIN : Parfait.

Il sort par le fond, le général ressonne.

BOIS-D'ENGHIEN : Qu'est-ce qu'on a donc à sonner comme ça, ce matin ?

LE GÉNÉRAL, *furieux* : Caraï ! Me van acer esperar toda la vida[1] ?

Il sonne longuement avec colère.

BOIS-D'ENGHIEN, *riant* : Oh ! oh ! on s'impatiente !

VOIX DE BOUZIN, *à droite* : Voilà, voilà !

LE GÉNÉRAL, *prenant du champ en gagnant à reculons le milieu du palier* : Eh bienne ! voyons ! *(Bouzin ouvre la porte.)* Monsieur Bodégué ?

BOUZIN, *qui a fait deux pas sur le palier, reconnaissant le général* : Ciel ! le Canaque[2] !

Il esquisse une volte-face rapide, se sauve éperdu et ferme brusquement la porte au nez du général.

LE GÉNÉRAL, *furieux* : Boussin ! Quel il a dit ? la Canaque ? Veux-tu ouvrir ? Boussin ! Veux-tu ouvrir ?

Il sonne et frappe à coups redoublés sur la porte.

BOIS-D'ENGHIEN, *au bruit que fait le général, ouvrant sa porte qui donne sur le palier et passant la tête, tout en se cachant derrière le battant de la porte* : Eh bien ! qui est-ce qui fait ce tapage ?... Le général ?

LE GÉNÉRAL, *entrant comme une bombe chez Bois-d'Enghien, qu'il bouscule au passage* : Vouss ! c'est vouss ! Bueno ! Tout à l'heure, vouss ! Boussin il est ici ?

BOIS-D'ENGHIEN : Mais oui, quoi ?

LE GÉNÉRAL : Il m'a nommé « la Canaque » ! Boussin ! « la Canaque » !

Il a gagné l'extrême gauche n° 1.

BOUZIN, *affolé, paraissant au fond* : Monsieur, c'est le géné... *(Reconnaissant le général.)* Sapristi, encore lui !

Il referme brusquement la porte et disparaît comme un fou.

LE GÉNÉRAL : Loui ! Attends, Boussin ! Attends, Boussin !

BOIS-D'ENGHIEN, *essayant de s'interposer* : Voyons ! voyons !

LE GÉNÉRAL : Laissez-moi ! Tout à l'heure, vouss !

Il repousse Bois-d'Enghien et se précipite par le fond à la poursuite de Bouzin.

BOIS-D'ENGHIEN : Non, mais c'est ça, ils viennent se dévorer chez moi, à présent.

Il ouvre la porte donnant sur le palier pour voir, toujours derrière son battant de porte, ce qui va se passer.

BOUZIN, *apparaissant par la porte de droite, qu'il referme brusquement, s'élance dans l'escalier en passant devant Bois-d'Enghien sans s'arrêter* : Ne lui dites pas que je monte ! Ne lui dites pas que je monte !

BOIS-D'ENGHIEN, *riant* : Non !

Bouzin se cogne dans le fleuriste qui, pendant ce qui précède, est descendu d'un pas pressé.

LE FLEURISTE : Faites donc attention !

Le fleuriste et Bouzin disparaissent, le premier descendant, le second montant.

LE GÉNÉRAL, *surgissant de droite* : Où il est Boussin ? Où il est ?

BOIS-D'ENGHIEN, *derrière son battant* : Tenez, il descend ! il descend !

LE GÉNÉRAL, *se penchant au-dessus de la rampe* : Oui, yo le vois !… *(Se précipitant dans l'escalier qu'il descend quatre à quatre.)* Attends, Boussin ! Attends, Boussin ! Ah ! yo souis oune Canaque !

Il disparaît.

BOIS-D'ENGHIEN, *pendant que Bouzin apparaît effondré sur la rampe de l'escalier* : Oui, cours après ; tu auras de la chance si tu le rattrapes !

SCÈNE V

BOIS-D'ENGHIEN, BOUZIN, *puis* LUCETTE

BOUZIN, *redescendant tout défait, après s'être assuré, en jetant un regard par-dessus la rampe, qu'il n'y a plus de danger* : Il est parti ?

BOIS-D'ENGHIEN, *sur le pas de sa porte, riant* : Oui, oui, il est en train de courir après vous !

BOUZIN, *entrant chez Bois-d'Enghien et se laissant tomber sur le fauteuil* : Oh ! là, mon Dieu !

BOIS-D'ENGHIEN (2), *qui a fermé sa porte* : Eh bien ! j'espère que vous en avez piqué une course ?

BOUZIN : Ah ! ne m'en parlez pas !... Mais qu'est-ce qu'il a après moi ce sauvage ? Qu'est-ce qu'il a ? Est-ce que je suis voué à cette chasse à courre chaque fois que je le rencontrerai... Enfin, qu'est-ce qu'il me reproche ? Il ne vous l'a pas dit ?

BOIS-D'ENGHIEN, *avec un sérieux comique* : Il vous reproche d'être l'amant de Lucette Gautier.

BOUZIN, *se levant et protestant hautement* : Moi ? mais c'est faux ! Mais dites-lui que c'est faux ! Jamais, vous m'entendez, jamais, il n'y a rien eu entre Mlle Gautier et moi ! *(Se méprenant sur le sourire railleur de Bois-d'Enghien.)* Je vous en donne ma parole d'honneur !

BOIS-D'ENGHIEN, *avec une conviction jouée* : Non ?

BOUZIN, *appuyant* : Jamais ! J'ignore si Mlle Gautier a un sentiment pour moi, — elle ne me l'a jamais dit —, en tout cas… je sais très bien que de mon côté… aussi, si c'est Mlle Gautier qui a été raconter… Eh bien, j'ai le regret de le dire : elle se vante[1] !… *(Suppliant.)* Oh ! je vous en prie, ça ne peut pas durer, cette situation-là ! Voyez le Général, expliquez-lui… et faites cesser ce malentendu dont les conséquences deviennent menaçantes pour moi.

BOIS-D'ENGHIEN : C'est bien, c'est bien, je lui parlerai !

Lucette paraît, venant du dessous.

LUCETTE *s'arrête sur le palier, reprend un instant sa respiration puis, se décidant, va sonner à droite* : Ah ! le premier choc va être dur !

BOIS-D'ENGHIEN, *au son du timbre électrique* : Encore !… *(La figure de Bouzin exprime un sentiment d'épouvante.)* Ah ! Bouzin, je vous en prie, voulez-vous aller ouvrir… ?

BOUZIN, *mettant le fauteuil entre lui et la porte* : Moi ! Oh ! non, non, je n'ouvre plus, je n'ouvre plus !…

BOIS-D'ENGHIEN : Comment ?

BOUZIN : Oh ! non, ça n'aurait qu'à être un nouveau général ! *(Lucette ressonne.)* Voyons, je ne peux pourtant pas aller ouvrir comme ça !

LUCETTE : Il doit se douter que c'est moi ! Il n'ouvre pas ! Eh ! je suis bête… j'ai la clé de son cabinet de toilette que j'ai retrouvée dans mon dos…

Elle prend la clé dans sa poche et traverse le théâtre.

BOIS-D'ENGHIEN, *essayant de persuader Bouzin* : Allons, Bouzin ?

BOUZIN, *décidé à ne pas bouger* : Non ! non ! non ! non !

Lucette introduit la clé dans la serrure de la porte de gauche.

BOIS-D'ENGHIEN, *entendant le bruit de la clé dans la serrure* : Eh bien ! Qu'est-ce que c'est ? *(La porte s'ouvre.)* Qui est là ?

LUCETTE, *entrant, et avec une froide résolution* : C'est moi !

BOUZIN : Lucette Gautier !

BOIS-D'ENGHIEN, *passant à l'extrême gauche* : Toi ?… Vous ?

LUCETTE, *même jeu* : Oui, moi !

BOIS-D'ENGHIEN (1) : Ah bien ! par exemple, c'est de l'aplomb !

LUCETTE (3), *bien nettement* : J'ai à te parler.

BOUZIN (2), *un peu au fond* : À moi ?

LUCETTE, *haussant les épaules* : Eh ! non ! *(À Bois-d'Enghien.)* À toi ! *(À Bouzin.)* Laissez-nous, Monsieur Bouzin.

BOIS-D'ENGHIEN, *le prenant de haut* : Inutile !

Vous n'avez rien à me dire qui ne puisse être dit devant un tiers.

LUCETTE, *autoritaire, scandant chaque syllabe* : J'ai à te parler… *(À Bouzin.)* Laissez-nous, Monsieur Bouzin !

BOIS-D'ENGHIEN, *avec une condescendance dédaigneuse* : Soit !… Veuillez m'attendre à côté, Bouzin, je vous appellerai quand… Madame aura fini !

BOUZIN : Bien ! *(Il remonte jusqu'à la porte du fond, puis, à part, au moment de sortir.)* Est-ce qu'elle m'aurait suivi ?

Il sort.

BOIS-D'ENGHIEN, *avec une colère contenue* : Et maintenant, qu'est-ce qu'il y a ? Qu'est-ce que vous voulez ?

LUCETTE : J'étais venue… *(Intimidée par le regard dur de Bois-d'Enghien)* pour te rapporter ta clé.

BOIS-D'ENGHIEN : C'est très bien, posez-la là !… *(Elle pose la clé sur la toilette.)* Je suppose que vous n'avez rien d'autre à me dire ?

LUCETTE : Si ! *(Avec expansion, se jetant à son cou.)* J'ai à te dire que je t'aime.

BOIS-D'ENGHIEN, *se dégageant* : Oh ! non ! non ! pas de ça, Madame ! c'est fini ces plaisanteries-là !

LUCETTE : Oh !

BOIS-D'ENGHIEN : J'ai pu être bête pendant longtemps, mais il y a limite à tout. Ah ! vous avez cru que ça se passerait comme ça, que vous pourriez briser mon mariage en me ridiculisant par un éclat grotesque et qu'il vous suffirait de revenir et de me dire : *Je t'aime !* pour qu'aussitôt tout fût oublié et que je reprisse ma chaîne[1] ?

LUCETTE, *passant au 1, avec amertume* : Sa chaîne !

BOIS-D'ENGHIEN : Oui… Eh bien ! vous vous êtes trompée !… Ah ! vous m'aimez !… Eh bien ! je m'en fiche que vous m'aimiez ! J'en ai par-dessus la tête de votre amour, et la preuve, tenez ! *(Il ouvre la porte.)* La porte est ouverte, vous pouvez la prendre.

LUCETTE, *avec une légitime indignation* : Tu me chasses ! moi ! moi !

BOIS-D'ENGHIEN : Ah !… Et puis, pas d'histoires, hein ? Allez-vous-en !… que ce soit fini, allez-vous-en !…

LUCETTE : Ah ! c'est ainsi ? C'est bien ! Tu n'auras pas besoin de me le dire deux fois !

Elle sort.

Bois-d'Enghien ferme la porte sur elle, mais Lucette qui est revenue sur ses pas, arrêtant le battant au moment où la porte va se refermer, et rentrant dans le cabinet de toilette.

LUCETTE : Mais, prends garde ! Si tu me laisses franchir le seuil de cette porte, tu ne me reverras jamais !

BOIS-D'ENGHIEN : Marché conclu !

LUCETTE : Bon ! *(Même jeu que précédemment.*

Sortie de Lucette et rentrée au moment où Bois-d'Enghien referme la porte.) Mais réfléchis-y bien !

BOIS-D'ENGHIEN, *à part* : Oh ! le fil à la patte !

LUCETTE : Si tu me laisses franchir…

BOIS-D'ENGHIEN : Oui, oui, oui, c'est entendu !

LUCETTE : C'est très bien !… *(Elle sort. Bois-d'Enghien referme brusquement la porte sur elle. Lucette se retournant dans l'intention de rentrer comme précédemment.)* Mais tu sais… *(Trouvant la porte close.)* Fernand, veux-tu m'ouvrir ! Fernand, écoute-moi !

BOIS-D'ENGHIEN, *de sa chambre* : Non !

LUCETTE, *à travers la porte* : Fernand, réfléchis bien à ce que tu fais… Tu sais, c'est pour toujours !

BOIS-D'ENGHIEN : Oh ! oui, pour toujours ! oh ! oui, pour toujours !

LUCETTE, *allant s'abattre sur la banquette* : Oh ! ingrat ! sans cœur !

BOIS-D'ENGHIEN, *qui, pendant ce qui précède, est allé décrocher le peignoir de la patère, le mettant en boule, et, après avoir ouvert la porte, le jetant aux pieds de Lucette* : Et tiens, ton peignoir !

Il referme brusquement la porte et court chercher les mules de Lucette.

LUCETTE, *indignée* : Oh !

BOIS-D'ENGHIEN, *rouvrant la porte* : Tiens, tes mules !

Il referme la porte.

LUCETTE, *même jeu* : Oh !… *(À travers la porte, à Bois-d'Enghien.)* Ah ! c'est comme ça ! Eh bien ! tant pis pour toi, tu pourras dire que c'est toi qui m'auras poussée à cette extrémité.

BOIS-D'ENGHIEN : Hein ?

LUCETTE, *tirant de sa poche le pistolet du deuxième acte* : Tu sais, mon pistolet ? Eh bien ! je vais me tuer !

BOIS-D'ENGHIEN, *se précipitant au-dehors, la porte reste grande ouverte* : Te tuer ! te tuer ! *(Se jetant sur Lucette.)* Veux-tu me donner ça !

LUCETTE, *se débattant* : Jamais de la vie !

BOIS-D'ENGHIEN, *essayant de lui arracher le pistolet* : Veux-tu me donner cela ? *(Au public, tout en lui tenant le bras au bout duquel est le pistolet.)* Oh ! ce pistolet ! je le trouverai donc toujours entre nous ?

LUCETTE, *même jeu* : Veux-tu me laisser !

BOIS-D'ENGHIEN : Allons ! allons ! donne-moi ça !

LUCETTE : Non !

BOIS-D'ENGHIEN : Si ! *(Il a saisi le pistolet par le canon, Lucette le tire par la crosse, ce qui fait sortir l'éventail de sa gaine. Restant avec le pistolet en main, l'éventail sorti.)* Hein ?

LUCETTE : Oh !

BOIS-D'ENGHIEN : Un éventail !

LUCETTE, *furieuse, trépignant de rage* : Tu sais, Fernand, tu sais…

BOIS-D'ENGHIEN, *avec un rire sarcastique :* Ah !

ah ! ah ! voilà avec quoi elle se tue, un accessoire de théâtre !

LUCETTE, *même jeu* : Tu sais, Fernand, tu sais…

BOIS-D'ENGHIEN : Ah ! ah ! ah ! c'est avec ça qu'elle se tue !… Va donc… cabotine !

LUCETTE, *au comble de la colère* : Tu ne me reverras jamais !

Elle disparaît dans l'escalier.

BOIS-D'ENGHIEN : C'est ça, va donc… *(Posant l'éventail sur la banquette et prenant la robe de chambre et les mules.)* Tu oublies ton peignoir !… *(Il le lui jette par-dessus la rampe, dans la cage de l'escalier.)* Et tes mules !

Même jeu.

VOIX DE LUCETTE : Oh !…

BOIS-D'ENGHIEN, *reprenant l'éventail sur la banquette* : Ah ! là là !… Et dire que j'ai été assez bête pour donner dans ses suicides !… Avec un éventail ! Ah ! la ! la ! *(Il a rentré l'éventail dans le canon et posé le pistolet sur le siège de droite.)* Enfin, j'aurai la paix maintenant. *(Il est à l'extrême droite et va pour rentrer chez lui ; à ce moment, la fenêtre de son cabinet de toilette s'ouvre brusquement, un courant d'air s'établit et la porte se referme violemment. Il s'est précipité pour l'empêcher, mais il arrive juste à temps pour recevoir la porte sur le nez.)* Oh ! allons bon ! ma porte qui s'est fermée !… *(Appelant et frappant à la porte.)* Ouvrez ! ouvrez !… Ah ! mon Dieu… Personne !

ma clé qui est sur la toilette... et Jean qui est dehors... *(Ne sachant où donner de la tête.)* Mais je ne peux pas rester sur le palier dans cette tenue !... Que faire ?... mon Dieu ! que faire ? *(Appelant dans la cage de l'escalier.)* Concierge, concierge !

BOUZIN, *après avoir frappé à la porte du fond du cabinet de toilette, passant timidement la tête* : Vous ne m'avez pas oublié, Monsieur de Bois-d'Enghien ?... Hein ? personne... Comment, il est parti ?

Voyant la fenêtre ouverte, il la referme.

BOIS-D'ENGHIEN, *effondré sur la banquette* : Ah ! mon Dieu !... Et dire qu'il y a une noce dans la maison !

BOUZIN : Ma foi, je n'ai qu'une chose à faire, je reviendrai.

Il se dirige pour sortir vers la porte donnant sur le palier.

BOIS-D'ENGHIEN : Oh ! si je sonnais... Bouzin entendrait peut-être.

Il va à droite et sonne sans interruption.

BOUZIN, *qui avait déjà la main sur le bouton de la porte, immédiatement pétrifié* : Mon Dieu ! ça doit être encore le général... et je suis seul !

Il se sauve par le fond pour se réfugier dans le salon.

BOIS-D'ENGHIEN, *continuant de sonner* : Non, non, il ne viendra pas !... Parbleu, il entend ! mais il n'osera pas ouvrir... Ah ! bien, je suis bien, moi, je suis bien ! *(Se penchant au-dessus de la rampe.)* Concierge ! concierge !... *(Brusquement.)* Ah ! mon Dieu ! quelqu'un qui monte... *(Il se précipite dans l'escalier qui monte aux étages supérieurs, il disparaît un instant ; musique de scène ; il reparaît presque aussitôt, absolument affolé.)* Toute la noce... toute la noce qui descend !... Je suis cerné !... je suis cerné !...

Il se fait tout petit dans l'embrasure de la porte de droite.

SCÈNE VI

BOIS-D'ENGHIEN, LA NOCE,
LE GÉNÉRAL, *puis* UN MONSIEUR

La noce descend du dessus. Tout le monde parle à la fois. — Le beau-père : « Dépêchons-nous ! » *— La mariée :* « Mais nous avons le temps ! » *— Le gendre :* « La mairie, c'est à onze heures ! » *(Etc., etc.)*

TOUS, *apercevant Bois-d'Enghien* : Oh !

BOIS-D'ENGHIEN, *essayant de se donner une contenance, galamment à la mariée* : Madame, tous mes vœux de bonheur !

TOUS, *levant de grands bras* : Quelle horreur !

LE BEAU-PÈRE : Un homme en caleçon !

LE GENDRE : Il faut se plaindre !

LA BELLE-MÈRE : Il faut avertir le concierge !

BOIS-D'ENGHIEN, *décrivant un demi-cercle en faisant force courbettes. Il se trouve ainsi avoir gagné la gauche du palier* : Mesdames, Messieurs !

TOUS : Voulez-vous vous cacher… quelle horreur !

Ils descendent tout scandalisés, en levant de grands bras, ils se croisent avec le général qui apparaît de droite.

BOIS-D'ENGHIEN, *désespéré* : Quelle position, mon Dieu ! *(Apercevant le général.)* Allons, bon ! le général !

LE GÉNÉRAL, *ahuri de trouver Bois-d'Enghien dans cette tenue sur le palier* : Bodégué ! en maillotte !

BOIS-D'ENGHIEN, *à part, exaspéré* : Le général, à présent !… Il ne manquait plus que lui !

LE GÉNÉRAL : Porqué vous l'est en maillotte ?

BOIS-D'ENGHIEN, *furieux* : « Porqué… Porqué… » porqué vous voyez bien que je ne peux pas rentrer chez moi !… Ma porte s'est fermée sur mon dos…

LE GÉNÉRAL, *riant* : Ah ! ah ! il est rissible !

BOIS-D'ENGHIEN, *même jeu* : Ah ! bien, je ne trouve pas !

LE GÉNÉRAL, *s'essuyant le front* : Ah ! cet Boussin !... vous savez cet Boussin... yo l'ai couru après.

BOIS-D'ENGHIEN, *rageur* : Eh bien ! ça m'est égal !... Vous ne l'avez pas attrapé, n'est-ce pas ?

LE GÉNÉRAL : Si !... yo loui ai flanqué ma botte... seulement, il n'était pas Boussin... yo no so comme est fait... quand il s'est retourné, il était oun autre !

BOIS-D'ENGHIEN : Ah !

LE GÉNÉRAL : Oh ! mais yo lo rattraperai, cette Boussin !

BOIS-D'ENGHIEN, *cassant* : Eh bien !... c'est très bien... mais qu'est-ce que vous voulez que j'y fasse ?

LE GÉNÉRAL : Bueno !... Il n'est pas là la chosse !... yo souis venu qué yo vous parle.

BOIS-D'ENGHIEN : Oui. Eh bien ! plus tard... j'ai autre chose à faire que de causer.

LE GÉNÉRAL : Porqué ?...

BOIS-D'ENGHIEN : « Porqué ». Il est étonnant avec ses « porqué » ! Je vous dis que je suis à la porte de chez moi...

LE GÉNÉRAL : Bueno... c'est oune pâcatile ! l'on peut causère sur la palière.

BOIS-D'ENGHIEN : Mais, sacristi, voyons... *(Se penchant par-dessus la rampe en apercevant quelqu'un qui monte.)* Oh ! quelqu'un !

Il se précipite dans l'escalier et gagne les dessus.

LE GÉNÉRAL : Eh bien ! où l'y va ! où l'y va ? *(Montant trois marches et appelant.)* Bodégué ! Bodégué !

BOIS-D'ENGHIEN, *de l'étage supérieur* : Oui, tout à l'heure ! tout à l'heure !

LE GÉNÉRAL : Mais il est fol ! *(Un monsieur apparaît sur le palier, salue le général (1) en passant (2) et gagne l'étage supérieur. Le général rend le salut.)* Buenos dias !... quel il fait là-haut ?... Bodégué !... Bueno Bodégué... Bodégué ! *(Appelant avec le cri des ramoneurs.)* Eh ! Boo-dégué !

VOIX DE BOIS-D'ENGHIEN, *dans les dessus, avec le même cri* : Eh !

LE GÉNÉRAL : Eh ! bienne, vénez !

BOIS-D'ENGHIEN, *reparaissant* : Eh bien ! voilà, mon Dieu, voilà !

LE GÉNÉRAL, *redescendant* : Bueno... que vous l'avez, qué vous filez comme oun lapen ?

BOIS-D'ENGHIEN (1), *sur le palier* : Je ne peux pourtant pas me montrer dans cette tenue quand il y a des gens qui montent... *(Secouant sa porte qui résiste.)* Oh ! cette porte ! vous n'auriez pas un passe-partout sur vous, n'importe quoi, un rossignol[1] ?

LE GÉNÉRAL, *qui ne comprend pas* : Oun oisseau ?

BOIS-D'ENGHIEN, *haussant les épaules* : Ah ! « oun oisseau » ! *(Revenant à la question.)* Enfin quoi ? Qu'est-ce qu'il y a ?... Qu'est-ce que vous voulez ?

LE GÉNÉRAL (2) : Qué yo l'ai ! yo l'ai qué yo vous l'ai disse hier, yo l'étais vénu qué yo vous tue !

BOIS-D'ENGHIEN, *furieux* : Encore !… Ah ! zut !

LE GÉNÉRAL, *furieux et avec panache* : Bodégué ! yo sous à vos ordres !

BOIS-D'ENGHIEN : Oui ? Eh bien ! allez donc me chercher un pantalon.

LE GÉNÉRAL, *bondissant* : Oun pantalon, moi ! *(Il change de ton.)* Oh ! yo vous prie qué vous né fait pas le squeptique.

BOIS-D'ENGHIEN, *qui ne comprend pas* : Quoi ?

LE GÉNÉRAL : Yo dis : qué vous ne fait pas le squeptique.

BOIS-D'ENGHIEN, *comprenant* : Ah ? le sceptique. *(Haussant les épaules.)* « Le squeptique ». Qu'est-ce que ça veut dire le squeptique ? parlez donc français au moins : *s, c, é,* ça ne fait pas *squé,* ça fait *cé.* On dit : « le sceptique », pas « le squeptique ».

LE GÉNÉRAL, *sur le même ton* : Bueno, il m'est égal, squeptique, sceptique, c'est le même.

BOIS-D'ENGHIEN, *furieux* : Oui. Eh bien ! c'est bon !… finissons-en… Vous voulez me tuer ?

LE GÉNÉRAL : Non !

BOIS-D'ENGHIEN : Comment, non ?

LE GÉNÉRAL : Yo l'étais venu pour !… Mais maintenant yo ne vous toue plouss !

BOIS-D'ENGHIEN : Ah ? Eh bien ! tant mieux !

LE GÉNÉRAL, *avec un soupir de résignation* : Non, porqué yo viens de voir Loucette Gautier qu'il est en bas !

BOIS-D'ENGHIEN : Ah ?

LE GÉNÉRAL : Il m'a dit oun chose... qu'elle m'embête, mais que yo n'ai pas le choix... Il m'a dit : yo no serai la votre que si Bodégué il veut encore être le mienne !

BOIS-D'ENGHIEN, *reculant* : Hein ?...

LE GÉNÉRAL : Voilà !... Il m'est dour, allez ! surtout quand yo pense à la sandale d'hier !

BOIS-D'ENGHIEN : La sandale ? Qu'est-ce que c'est que la « sandale » ?

LE GÉNÉRAL : Eh ! la sandale qué vous l'avez fait Loucette et vous chez Madame Duvercher.

BOIS-D'ENGHIEN : Ah ! « le scandale », vous voulez dire ! Vous dites la « sandale », *s, c, a,* ça fait *sca,* ça ne fait pas *sa* !

LE GÉNÉRAL, *le prenant de haut* : Bodégué ! est c'qué tou té foutes de moi ? Tout à l'heure yo l'ai dit « squeptique », vous disse « sceptique » ! bueno. Maintenant yo dis « sandale », vous dis « scandale »... *(Menaçant.)* Bodégué !

BOIS-D'ENGHIEN, *sur le même ton* : Général ?

LE GÉNÉRAL : Prenez garde !

BOIS-D'ENGHIEN : Et à quoi donc ?

LE GÉNÉRAL, *se calmant subitement*[1] : Bueno ! yo vous disse maintenant vous allez raccommoder avé Loucette.

BOIS-D'ENGHIEN : Moi ? *(Se penchant à l'oreille du général comme pour lui faire une confidence, et très haut.)* Jamais de la vie !

LE GÉNÉRAL : Non ?... Alors yo revoutoue !

BOIS-D'ENGHIEN, *descendant à gauche* : Eh bien !

c'est ça, remetuez-moi ! *(Revenant au général.)* Mais, sacristi ! il faudrait s'entendre, cependant ! Tout à l'heure, c'était parce que j'étais avec Lucette ; maintenant, c'est parce que je ne suis plus avec elle ! Qu'est-ce que vous voulez, à la fin ?

LE GÉNÉRAL : Qué yo veux ?... Tou es bête.

BOIS-D'ENGHIEN : Hein ?

LE GÉNÉRAL : Yo veux que Loucette il soit à moi.

BOIS-D'ENGHIEN : Eh bien ! oui, à toi, mais pas à moi. Eh bien ! il y a un moyen tout trouvé.

LE GÉNÉRAL : Vrai ? Ah ! Bodégué, vous l'est oun ami !

BOIS-D'ENGHIEN : Tu vas aller... ça t'est égal que je te tutoie.

LE GÉNÉRAL : Yo vous prie !

BOIS-D'ENGHIEN : Vous allez dire à Lucette que vous m'avez vu et que je refuse tout rapprochement.

LE GÉNÉRAL : Porqué ?

BOIS-D'ENGHIEN, *haussant les épaules, au public* : « Porqué » *(Au général.)* Eh bien ! « porqué » à cause de son vice de constitution.

LE GÉNÉRAL : Hein ?

BOIS-D'ENGHIEN, *à l'oreille du général* : Un vice de constitution qui n'est appréciable que dans la plus stricte intimité.

LE GÉNÉRAL, *à pleine voix* : Il a oun vice dans la constitution, Loucette ?

BOIS-D'ENGHIEN : Elle ?… Pas du tout.

LE GÉNÉRAL, *qui ne comprend pas* : Bueno ?

BOIS-D'ENGHIEN : Eh bien ! justement ! Elle est femme !… Elle a encore plus d'amour-propre que d'amour… et quand vous lui aurez dit… Je la connais, la vanité… elle est à vous !…

LE GÉNÉRAL, *enchanté* : Oh ! yo comprends !… Ah ! Bodégué !… Fernand !… Gracias, gracias !… Muchas gracias !

BOIS-D'ENGHIEN : Allez ! allez ! c'est bon !

LE GÉNÉRAL : Yo cours !… Adieu ! Fernand ! Adieu ! et ouna bouna santé ! Et pouis, tous sais : yo no to toue plouss !

Il s'en va en courant.

BOIS-D'ENGHIEN : C'est ça ! c'est ça ! Ni moi non plouss !

Il le regarde partir.

SCÈNE VII

BOIS-D'ENGHIEN, BOUZIN

BOUZIN, *paraissant au fond à gauche* : Je n'entends plus de bruit… ma foi, je ne vais pas coucher là !

BOIS-D'ENGHIEN : En voilà un raseur avec son occidomanie ! *(Voyant Bouzin qui sort de gauche sur le palier, vivement en se précipitant.)* Ne fermez pas !

BOUZIN, *qui avait fait déjà le mouvement de fermer la porte, ne peut réprimer ce mouvement à temps, et la porte se referme* : Oh !

BOIS-D'ENGHIEN, *contre la porte* : Ah ! que le diable vous emporte !... Et je vous crie encore : Ne fermez pas !

BOUZIN : Qu'est-ce que vous voulez ?... ça a été plus vite que ma volonté.

BOIS-D'ENGHIEN, *passant au 2* : C'est agréable, me voilà encore à la porte de chez moi !

BOUZIN, *riant* : Mais qu'est-ce que vous faites dans cette tenue sur le palier ?

BOIS-D'ENGHIEN : Ce que j'y fais !... Si vous croyez que c'est pour mon plaisir...

BOUZIN : Ah ! ah ! c'est amusant !

BOIS-D'ENGHIEN, *furieux* : Vous trouvez, vous ?... Parbleu ! Ce n'est pas étonnant, vous êtes habillé, vous ! *(Il s'assied sur le siège de droite, sans voir qu'il y a un pistolet dessus. Se relevant aussitôt.)* Oh ! *(Voyant le pistolet ; à part.)* Oh ! quelle idée ! *(Il ramasse le pistolet et, le cachant derrière son dos, il va à Bouzin, et, très aimablement.)* Bouzin !

BOUZIN, *souriant* : Monsieur Bois-d'Enghien ?

BOIS-D'ENGHIEN, *même jeu* : Bouzin, vous allez me rendre un grand service !

BOUZIN, *même jeu* : Moi, Monsieur Bois-d'Enghien ?

BOIS-D'ENGHIEN, *même jeu* : Donnez-moi votre pantalon.

BOUZIN, *riant* : Hein ?... Oh ! Vous êtes fou !

BOIS-D'ENGHIEN, *changeant de ton et marchant sur lui* : Oui, je suis fou ! Vous l'avez dit, je suis fou ! Donnez-moi votre pantalon !

Il braque son revolver sur Bouzin.

BOUZIN, *terrifié et venant s'acculer à l'extrémité de la cloison de séparation* : Oh ! mon Dieu ! Monsieur Bois-d'Enghien, je vous en supplie !

BOIS-D'ENGHIEN, *même jeu* : Donnez-moi votre pantalon !

BOUZIN : Grâce, Monsieur Bois-d'Enghien, grâce !

BOIS-D'ENGHIEN : Allons, vite ! votre pantalon ! ou je fais feu !

BOUZIN : Oui, Monsieur Bois-d'Enghien... *(Terrifié, il défait son pantalon en s'adossant à la cloison.)* Oh ! mon Dieu ! quelle situation ! Moi, en caleçon, dans l'escalier d'une maison étrangère !

BOIS-D'ENGHIEN : Allons ! allons, dépêchons-nous !

BOUZIN : Voilà, voilà, Monsieur Bois-d'Enghien !

Il lui donne son pantalon.

BOIS-D'ENGHIEN, *prenant le pantalon* : Merci !... Votre veste, à présent !

Il braque à nouveau son pistolet.

BOUZIN, *navré* : Hein ?... Mais, Monsieur, qu'est-ce qui me restera ?

BOIS-D'ENGHIEN : Il vous restera votre gilet.... Allons, vite, votre veste !

BOUZIN, *donnant sa veste* : Oui, Monsieur Bois-d'Enghien, oui !

BOIS-D'ENGHIEN : Merci !

BOUZIN, *piteux contre la cloison, tenant son chapeau des deux mains contre son ventre pour dissimuler sa honte* : Oh ! pourquoi ai-je mis les pieds ici ! *(Bois-d'Enghien, pendant ce temps, est allé s'asseoir sur la banquette, avec les vêtements, a posé son pistolet à sa droite et enfile le pantalon de Bouzin. Une fois les deux jambes passées, il se lève et va à droite achever de se boutonner, en tournant le dos aux spectateurs. Bouzin, apercevant le pistolet déposé par Bois-d'Enghien sur la banquette, sa figure s'éclaire et mettant son chapeau.)* Oh ! le revolver ! *(Il va jusqu'à lui à pas de loup et s'en empare. Cela fait, après avoir assuré son chapeau d'une petite tape de la main, il s'avance, l'air vainqueur, le chapeau sur l'oreille et, avec un geste plein de promesse, indiquant Bois-d'Enghien.)* À nous deux, maintenant, mon gaillard ! *(À Bois-d'Enghien, en dissimulant son revolver, et, avec un ton gracieux, comme l'autre avait fait précédemment.)*... Monsieur Bois-d'Enghien ?

BOIS-D'ENGHIEN, *achevant de mettre le pantalon* : Mon ami ?

BOUZIN : Mon pantalon.

BOIS-D'ENGHIEN : Hein ?

Il rit.

BOUZIN, *braquant son revolver, et terrible* : Vous allez me rendre mon pantalon, ou je vous tue !

BOIS-D'ENGHIEN, *continuant de se vêtir* : Oui, mon vieux, oui.

BOUZIN : Oh ! vous savez, je ne ris pas. Mon pantalon ou je tire ! je tire !

BOIS-D'ENGHIEN, *passant la veste* : Parfaitement, allez, allez !

BOUZIN, *appuyant vainement sur la gâchette du pistolet* : Hein ?

BOIS-D'ENGHIEN : Seulement, c'est pas comme ça, tenez, c'est comme ça !... *(Du bout des doigts et aux yeux ébahis de Bouzin, il tire l'éventail du canon du revolver que Bouzin tient toujours par la crosse.)* Vous ne savez pas vous y prendre, mon ami !

BOUZIN : Je suis joué !

Il pose l'éventail tout ouvert sur la banquette.

BOIS-D'ENGHIEN, *riant* : Ah ! ce pauvre Bouzin !

Il reprend l'éventail, le rentre dans le pistolet et le fourre dans sa poche.

LE CONCIERGE, *dans l'escalier* : Venez, Messieurs, venez !

BOUZIN, *se penchant au-dessus de la rampe* : Allons, bon !... Voilà du monde !

Il gravit quatre à quatre les marches qui montent aux étages supérieurs.

BOIS-D'ENGHIEN : C'est égal ! ça fait du bien de se sentir habillé, même dans les vêtements d'autrui !

SCÈNE VIII

BOIS-D'ENGHIEN, LE CONCIERGE
ET DEUX AGENTS,
puis VIVIANE, MISS BETTING,
puis DES DOMESTIQUES
ET LA BARONNE

LE CONCIERGE, *montant suivi des agents* : Venez, Messieurs, venez !

Il les fait passer devant lui.

BOIS-D'ENGHIEN (1) : Le concierge avec des agents !... Qu'est-ce que vous cherchez ?

LE CONCIERGE : Un homme qui est en caleçon dans l'escalier !...

BOIS-D'ENGHIEN : Un homme en caleçon... *(À part.)* Oh ! ce pauvre Bouzin ! *(Haut.)* Mais je n'ai pas vu !... Messieurs, je n'ai pas vu...

LE CONCIERGE, *sur la première marche de l'escalier* : Si !... si !... C'est la noce Brugnot qui a porté plainte, c'est pour ça que j'ai dû aller chercher des agents. *(Montant à la suite des agents.)* Venez, Messieurs, il doit être en haut… il ne pourra toujours aller plus loin que le cintième !… Il n'y a que cinq t'étages dans la maison.

Ils disparaissent dans les dessus.

BOIS-D'ENGHIEN, *qui les a accompagnés jusqu'à la hauteur de cinq marches* : Ah ! le pauvre Bouzin !… Il n'a vraiment pas de chance.

VIVIANE, *paraissant la première sur le palier, à Miss Betting qui la suit* : That way, Miss !

Elle tient un rouleau de musique à la main.

MISS BETTING : All right !

BOIS-D'ENGHIEN (1), *descendant en deux enjambées* : Viviane ! vous ici !

VIVIANE (2) : Oui, moi !… Moi qui viens vous dire : Je vous aime !

BOIS-D'ENGHIEN : Est-il possible !… quoi !… malgré ce qui s'est passé ?

VIVIANE : Qu'importe ce qui s'est passé. Je n'ai vu qu'une chose : c'est que vous étiez bien tel que j'avais rêvé mon mari !

BOIS-D'ENGHIEN : Oui ? *(Au public.)* Ce que c'est de se montrer en gilet de flanelle.

MISS BETTING, *les interrompant* : I beg your pardon ? But who is it ?

VIVIANE, *à Miss* : Yes, yes… *(Présentant.)* Mon institutrice : Miss Betting ! Mister Capoul !

BOIS-D'ENGHIEN, *ahuri* : Hein ?

MISS BETTING, *saluant de la tête Bois-d'Enghien et minaudant* : Oh ! yes ! I know Mister Capoul... Paol and Vergéné[1] !...

Tout ce qui suit doit être joué par Viviane, sans un geste, face au public, pour donner le change à l'institutrice.

BOIS-D'ENGHIEN, *toujours ahuri, à Viviane* : Qu'est-ce que vous dites... « Monsieur Capoul » ?

VIVIANE, *à mi-voix, mais avec énergie* : Mais oui ! vous pensez bien que si j'avais dit à Miss Betting que je voulais aller chez vous, elle ne m'y aurait pas conduite ; alors, j'ai dit que nous allions chez mon professeur de chant.

BOIS-D'ENGHIEN : Non ?... Mais elle va bien voir...

VIVIANE : Mais non. Elle ne comprend pas le français !

BOIS-D'ENGHIEN, *au public* : Ah ! ces petites filles !...

VIVIANE, *romanesque* : Ah ! dites ? Vous avez donc eu beaucoup de femmes qui vous ont aimé ?

BOIS-D'ENGHIEN, *protestant* : Mais...

VIVIANE : Oh ! dites-moi que si..., je ne vous en aimerai que mieux.

BOIS-D'ENGHIEN : Ah ?... Oh ! alors !... des masses !

VIVIANE, *avec joie* : Oui ?... Et il y en a peut-être qui ont voulu se tuer pour vous.

BOIS-D'ENGHIEN, *avec aplomb* : Quinze !... Tenez,

pas plus tard que tout à l'heure, voilà un pistolet que j'ai arraché à l'une d'elles.

VIVIANE, *avec transport* : Un pistolet ?... Et je n'aimerais pas un homme tant aimé !... Ah !...

BOIS-D'ENGHIEN, *voulant la prendre dans ses bras* : Ah ! Viviane !

VIVIANE, *vivement* : Chut !... pas de gestes !... pas de gestes !

BOIS-D'ENGHIEN : Hein ?

Viviane, pour se donner une contenance, rit à Miss Betting, qui rit aussi sans comprendre. Bois-d'Enghien en fait autant.

MISS BETTING, *s'interrompant de rire* : But why do we stay in the stairs ?

VIVIANE, *riant* : Ah ! c'est vrai, au fait !

BOIS-D'ENGHIEN, *riant aussi* : Qu'est-ce qu'elle dit ?

VIVIANE : Elle demande ce que nous faisons dans l'escalier... Entrons chez vous !

BOIS-D'ENGHIEN : Oh ! impossible, ma porte est fermée. On est allé me chercher ma clé !

VIVIANE : Cependant... pour ma leçon de chant...

BOIS-D'ENGHIEN, *avec aplomb* : Eh bien ! dites-lui que c'est l'usage... que les grands artistes donnent toujours leurs leçons de chant dans les escaliers... il y a plus d'espace.

VIVIANE, *riant* : Bon ! *(À Miss.)* Mister Capoul always gives his singing lessons on the stairs.

MISS BETTING, *étonnée* : No ?

VIVIANE, *avec aplomb* : Si.

MISS BETTING, *avec conviction* : Oh ! it is curious !

VIVIANE : Sit down, Miss ! *(Elle s'assied sur le tabouret de droite.)* Là. *(Puis bien large.)* Et maintenant, maman peut arriver !

BOIS-D'ENGHIEN : Votre maman ; mais qu'est-ce qu'elle dira ?...

VIVIANE : Oh ! tu ! tu ! tu ! tu ! il ne s'agit plus de parler maintenant.

BOIS-D'ENGHIEN : Hein ?

VIVIANE, *développant sa musique* : Nous sommes à ma leçon de chant ! Si vous avez quelque chose à me dire, dites-le-moi en chantant.

BOIS-D'ENGHIEN : Comment... vous voulez ?...

VIVIANE : Mais dame, sans ça, ça va éveiller les soupçons de Miss ! *(Lui donnant une partie et en prenant une autre.)* Tenez, prenez ça ! *(Après avoir donné son rouleau de musique à Miss Betting, revenant à Bois-d'Enghien.)* Et maintenant vous disiez... ?

BOIS-D'ENGHIEN : Eh bien ! je disais : Mais votre maman, qu'est-ce qu'elle dira ?

VIVIANE, *vivement et bas* : En chantant !... en chantant !...

BOIS-D'ENGHIEN : Oui ! hum !

Chantant sur l'air de Magali, de Mireille[1].

Mais vot'maman, qu'est-ce qu'elle dira ?
Quand ell'saura, ell'voudra pas.

VIVIANE, *même jeu* :

Maman, j'y ai laissé un mot
Où j'lui dis : Si tu veux me voir,
Tu m'trouv'ras chez M'sieur Bois-d'Enghien… ghien !

BOIS-D'ENGHIEN, *même jeu* :

Ah ! ah ! ah ! ah !
Ell' qui m'a flanqué à la porte
Hier au soir !

MISS BETTING, *parlé* : Oh ! very nice ! very nice.

BOIS-D'ENGHIEN ET VIVIANE : N'est-ce pas ?

MISS BETTING : Oh ! yes… (*Voulant montrer qu'elle connaît le morceau.*) Mirelle !

BOIS-D'ENGHIEN : Parfaitement, *Mirelle. (À Viviane, parlé.)* Oui, mais tout ça c'est très gentil…

VIVIANE : En chantant… en chantant !…

BOIS-D'ENGHIEN, *continuant l'air de* Mireille *à « Non, non, je me fais hirondelle »* :

Oui, mais tout ça, c'est très gentil, ti, ti, ti !
Si vot' maman dans sa colère
M'envoi' prom'ner après tout ça ?

VIVIANE, *chantant* :

Allons donc ! Est-ce que c'est possible ?
Maman criera,
Mais comm' je me suis compromise
Ell' cédera.

Pendant ce qui précède, les domestiques de la maison, arrivant au bruit des chants, apparaissent successivement, les uns d'en haut, les autres d'en bas.

BOIS-D'ENGHIEN, *joyeux, parlé* : Oui ?

Chantant avec transport.

Gais et contents
Nous marchons triomphants,
Et nous allons gaîment
Le cœur à l'ai-ai-aise[1].

TOUS LES DOMESTIQUES, *en chœur* :

Gais et contents
Car nous allons fêter,
Voir et complimenter
L'armée françai-ai-se !

Tous les domestiques applaudissent en riant ; ahurissement de Viviane, Miss Betting et Bois-d'Enghien.

TOUS : Oh !

MISS BETTING : What is that !

BOIS-D'ENGHIEN : Qu'est-ce qui vous demande quelque chose à vous ? Voulez-vous vous en aller ! voulez-vous vous en aller !

LES DOMESTIQUES : Oh !

BOIS-D'ENGHIEN : Voulez-vous vous en aller !

Sortie des domestiques.

LA BARONNE, *surgissant* : Viviane ! toi, ici… Malheureuse enfant !…

VIVIANE : Maman !

BOIS-D'ENGHIEN, *repoussant la baronne sans la reconnaître* : Voulez-vous vous en aller ?... *(La reconnaissant.)* La baronne !

MISS BETTING, *passant devant Viviane* : Oh ! good morning, Médème.

LA BARONNE (2) : Vous !... Vous n'avez pas honte, Miss, de vous faire le chaperon de ma fille ici !

MISS BETTING (3) : What does that mean ?

LA BARONNE : Ah ! laissez-moi tranquille ! Avec son anglais, il n'y a pas moyen de l'attraper !...

BOIS-D'ENGHIEN (1) : Madame, j'ai l'honneur de vous redemander la main de mademoiselle votre fille.

LA BARONNE : Jamais, Monsieur ! *(À Viviane.)* Malheureuse, qui est-ce qui t'épousera après ce scandale ?

VIVIANE, *passant au 3* : Mais lui, maman ! je l'aime et je veux l'épouser !

LA BARONNE, *Viviane dans ses bras, comme pour la garantir de Bois-d'Enghien* : Lui ?... Le je ne sais pas quoi de Mlle Gautier !

BOIS-D'ENGHIEN : Mais je ne suis plus le... « je ne sais pas quoi de Mademoiselle Gautier » !

LA BARONNE : Vraiment, Monsieur ! après ce qui s'est passé hier au soir !

BOIS-D'ENGHIEN, *avec aplomb* : Eh bien ! justement, ce que vous avez pris pour tout autre chose, c'était une scène de rupture.

LA BARONNE, *railleuse* : Allons donc ! dans cette tenue ?

BOIS-D'ENGHIEN, *même jeu* : Parfaitement : j'étais en train de dire à Mlle Gautier : « Je veux qu'il ne me reste rien qui puisse vous rappeler à moi, rien !... pas même ces vêtements que vous avez touchés ! »

LA BARONNE : Hein ?

BOIS-D'ENGHIEN : Et joignant l'acte à la parole, je les enlevais à mesure... Deux minutes plus tard et je retirais mon gilet de flanelle.

LA BARONNE, *choquée* : Oh !

VIVIANE : Tu vois, maman, que tu peux bien me le donner pour mari !

LA BARONNE, *avec résignation* : Qu'est-ce que tu veux, mon enfant ! si tu crois que ton bonheur est là !

VIVIANE : Ah ! maman !

BOIS-D'ENGHIEN : Ah ! Madame !

VIVIANE, *à Miss Betting* : Ah ! Miss, je l'épouse ! I will marry him !

MISS BETTING, *étonnée* : Mister Capoul ?... Aoh !

SCÈNE IX

LES MÊMES, JEAN, *puis* BOUZIN, LE CONCIERGE, LES DEUX AGENTS ET LES DOMESTIQUES

JEAN, *paraissant par la porte du fond du cabinet de toilette* : Tiens, où est donc Monsieur ?

Il ouvre la porte du palier.

BOIS-D'ENGHIEN : Enfin, c'est vous ! *(Sur le pas de la porte.)* Tenez, entrez, belle-maman ; entrez, Viviane ; entrez, Miss.

À ce moment on entend un brouhaha venant des étages supérieurs.

TOUS : Qu'est-ce que c'est que ça ?

LE CONCIERGE, *paraissant le premier* : Enfin, nous le tenons ! Nous avons dû faire une chasse à l'homme sur les toits.

Bouzin paraît tout déconfit, traîné par les agents et suivi des domestiques qui le huent.

BOIS-D'ENGHIEN : Bouzin !

LA BARONNE : Le clerc en caleçon !

VIVIANE : Quelle horreur !

MISS BETTING : Shocking !

Elles se précipitent scandalisées dans le cabinet de toilette.

LES AGENTS : Allons, venez !

BOUZIN, *se faisant traîner* : Mais non ! mais non ! Ah ! Monsieur Bois-d'Enghien, je vous en prie !

BOIS-D'ENGHIEN, *sur le pas de sa porte* : Qu'est-ce que c'est... ? Voulez-vous vous cacher !

Il entre dans le cabinet dont il ferme la porte sur Bouzin.

BOUZIN : Oh !

LES AGENTS : Allons ! Allons ! Au poste ! au poste !

BOIS-D'ENGHIEN, *dans le cabinet de toilette* : C'est un peu pendable ce que je fais là ! Mais bast ! je connais le commissaire, j'en serai quitte pour aller le réclamer.

LES AGENTS : Au poste ! au poste !

BOUZIN : J'en appelle à la postérité[1] !

TOUS : Au poste !

Les agents entraînent Bouzin, qui résiste, au milieu des huées des domestiques.

RIDEAU

AVIS[1]

Pour obtenir l'effet de la porte qui se ferme au moment voulu au troisième acte, voici comment on s'y prend. La porte est garnie extérieurement sur le palier de deux ressorts en caoutchouc, grâce auxquels elle retombe toujours dès qu'elle n'est pas maintenue. Aussi pour éviter, pendant les premières scènes de l'acte où le domestique a à sortir en laissant la porte contre, mais non close, que celle-ci, dans la chaleur du jeu de l'acteur, ne vienne à retomber trop fort et par conséquent à se refermer sur elle-même, ce qui serait un obstacle pour la suite, a-t-on soin de paralyser momentanément le fonctionnement de la serrure, en tenant le bouton de tirage, qui fait jouer le pène, tendu au moyen d'un crochet placé horizontalement à la serrure. Lorsque l'on n'a plus besoin que la porte soit ouverte, c'est-à-dire au moment où Bois-d'Enghien, chassant définitivement Lucette, lui dit : « Oh ! oui, pour toujours ! Oh ! oui, pour toujours ! », l'artiste chargé du rôle, sans en avoir l'air, défait le crochet, et le bouton retrouve alors toute son action.

Il ne s'agit plus maintenant que de maintenir la porte ouverte quand Bois-d'Enghien sort sur le palier pour arracher le pistolet des mains de Lucette, en même temps que de la faire se fermer, quand il en sera besoin, sous l'influence du courant d'air causé par la fenêtre qui s'ouvre brusquement. Pour cela, deux fils de rappel, aboutissant au même point derrière le décor (coin droit du fond du cabinet de toilette) de façon à pouvoir être conduits à la coulisse par une même personne. Le premier partant du centre intérieur de la porte (de sorte qu'il n'a qu'à être maintenu tendu à la sortie de Bois-d'Enghien sur le palier pour empêcher le battant de retomber). Le second partant de la fenêtre, côté extérieur, et fixé à un ressort qui empêche la fenêtre de s'ouvrir. Le reste n'est plus qu'une réplique à prendre. Quand Bois-d'Enghien, alors à l'extrémité droite du palier, a posé son pistolet sur le tabouret et au moment même où il dit, en se retournant pour rentrer chez lui : «Enfin, je vais avoir la paix maintenant», la personne qui conduit les fils, simultanément tire sur le fil de la fenêtre (ce qui fait déclencher le ressort, et la fenêtre munie intérieurement de ressorts en caoutchouc, et dont l'espagnolette est pendante — s'ouvre brusquement) et lâche le fil de la porte (et le battant se referme naturellement, juste à temps pour retomber sur le nez de Bois-d'Enghien).

Autre conseil pour le premier acte. — Comme souvent la carte mise par Bouzin dans le bouquet est difficile à trouver, il vaut mieux en placer une d'avance sur le piano, que l'artiste chargé du rôle de Chenne-

viette aura l'air de tirer du bouquet au moment voulu. De même pour l'écrin contenant la bague ; au lieu de le mettre dans le bouquet, qu'il soit sur la cheminée, d'où Lucette le rapportera, comme si elle venait de le trouver dans les fleurs.

DOSSIER

CHRONOLOGIE

(1862-1921)

1862. *8 décembre.* Naissance de Georges, Léon, Jules, Marie Feydeau au 49 bis rue de Clichy à Paris. Il est le fils d'Ernest Feydeau, né en 1821. Ami de Théophile Gautier et de Flaubert, ce dernier est issu d'une ancienne famille noble ayant occupé des fonctions dans la magistrature et l'administration parisienne sous l'Ancien Régime, ce dont témoigne l'existence dès le XVIIIe siècle d'une rue Feydeau située dans l'actuel IIe arrondissement de Paris. Arrière-arrière-grand-père du dramaturge, Claude-Henri Feydeau de Marville (1705-1787) avait été lieutenant général de police entre 1742 et 1747. Coulissier à la Bourse, littérateur et journaliste, Ernest Feydeau a connu un succès de scandale en 1858 avec son roman *Fanny.* D'abord marié à la fille de l'économiste Adolphe Blanqui, veuf en 1859, il épousa deux ans plus tard en secondes noces une jeune polonaise, Léocadie Zelewska, de dix-sept ans sa cadette. Léocadie Feydeau menant plus la vie d'une courtisane que celle d'une épouse fidèle, il est possible que Georges Feydeau soit le fils naturel du duc de Morny, voire de Napoléon III. L'enfant grandit en tout cas dans une famille désunie. En 1869, la crise d'hémiplégie qui frappe Ernest Feydeau complique encore la situation.

1871. *Octobre.* Georges Feydeau entre comme interne au lycée Chaptal. Il passe l'année suivante au lycée Saint-Louis, établissement qu'il quittera sans avoir achevé ses études.

1873. *29 octobre.* Mort d'Ernest Feydeau. Léocadie se remarie en février 1876 avec le journaliste Henry Fouquier (1838-1901).

1876. Passionné de théâtre depuis son enfance, Feydeau s'associe avec son condisciple Adolphe Louveau (qui fera carrière sous le nom de Fernand Samuel) pour fonder le Cercle des Castagnettes, une association de théâtre amateur.

1879. *1er novembre.* Première soirée du Cercle des Castagnettes, donnée dans une salle de la rue Cadet. Feydeau joue du Molière et du Labiche et récite des monologues.

1880. *2 avril. La Petite Révoltée,* monologue en vers, est le premier ouvrage de Feydeau joué en public, lors d'une soirée du Cercle des Castagnettes au Théâtre des Jeunes-Artistes, une salle réservée aux amateurs. Le monologue est publié par l'éditeur Ollendorff.

1881. *8 janvier.* Désormais lié au Cercle de l'Obole, Feydeau interprète à la salle Herz son monologue *Ma pièce,* ce qui lui vaut d'être remarqué par Francisque Sarcey, le puissant critique dramatique du *Temps.* Feydeau noue des relations avec des comédiens : Félix Galipaux (1860-1931), Coquelin cadet (1848-1909), Saint-Germain (1833-1899).

1882. *1er juin.* Dans une séance du Cercle des Arts intimes, représentation de *Par la fenêtre,* première œuvre dramatique de Feydeau, à nouveau louée par Sarcey. *Septembre.* L'œuvre est reprise par des comédiens professionnels, au casino de Malo-les-Bains, près de Dunkerque.

1883. *28 janvier.* Le Cercle de l'Obole donne, à l'Athénée-Comique et avec des comédiens professionnels, une nouvelle comédie en un acte de Feydeau, *Amour et piano.* La pièce est rejouée 2 fois, ce qui contribue à faire connaître son auteur. *1er juin. Gibier de potence,* « comédie bouffe », est donné par le Cercle des Arts intimes. *Juillet.* Anna Judic, grande interprète d'Offenbach, récite avec succès *Aux antipodes,* un nouveau monologue. *Novembre.* Feydeau commence à Rouen son service militaire qui sera poursuivi, à partir de mars 1884, à Versailles.

1884. *Novembre.* Revenu à la vie civile, Feydeau travaille comme courriériste au *Rappel* puis au *XIXe siècle,* poste qu'il occupera jusqu'en mars 1886. En même temps, il devient le secrétaire général du Théâtre de la Renaissance dont Fernand Samuel vient de prendre la direction.

1886. *29 mars.* Création de *Fiancés en herbe,* « comédie enfantine en un acte » à la salle Kriegelstein. Feydeau prend des cours de peinture avec Carolus-Duran (1837-1917), marié à la sœur de Sophie Croizette, sociétaire de la Comédie-Française. *17 décembre.* Création à la Renaissance de *Tailleur pour dames,* comédie en trois actes. Interprétée notamment par Galipaux et Saint-Germain, la pièce est bien accueillie par le public et par la critique. Elle est jouée 69 fois.

1887. *23 décembre.* Création de *La Lycéenne,* vaudeville-opérette en trois actes, musique de Gaston Serpette (1846-1904), au Théâtre des Nouveautés.

Avec seulement 20 représentations, c'est un échec.

1888. *13 avril.* Il en va de même avec *Un bain de ménage*, vaudeville en un acte, créé à la Renaissance. *19 septembre.* Feydeau subit un troisième échec avec *Chat en poche*, vaudeville en trois actes, créé au Théâtre Déjazet. Feydeau s'associe alors à Maurice Desvallières (1857-1926), petit-fils du dramaturge Ernest Legouvé, pour écrire un autre vaudeville en trois actes, *Les Fiancés de Loche*, créé le 27 septembre au Théâtre de Cluny, une scène plus modeste. La pièce ne reste à l'affiche que deux semaines. On propose à Feydeau de jouer un rôle dans une pièce au Théâtre du Vaudeville mais il refuse.

1889. *12 janvier. L'Affaire Édouard*, comédie-vaudeville en trois actes écrite avec Desvallières, est créé au Théâtre des Variétés. Avec 17 représentations, c'est le cinquième échec d'affilée pour Feydeau dont la carrière et les finances semblent compromises. Il n'en refuse pas moins à nouveau de jouer dans une pièce au Théâtre du Vaudeville. *14 décembre.* Il se marie avec la fille de Carolus-Duran, Marie-Anne (1869-1936). Le couple, qui aura quatre enfants, s'installe 8 rue de Berri.

1890. *10 mars.* Création du *Mariage de Barillon*, vaudeville en trois actes, et de *C'est une femme du monde*, comédie en un acte, au Théâtre de la Renaissance. Les deux pièces, écrites avec Desvallières, sont à nouveau des échecs (22 représentations).

1892. *23 avril.* Avec *Monsieur chasse !*, joué au Théâtre du Palais-Royal, Feydeau renoue enfin avec le succès, ce qu'attestent 114 représentations. La distribution comprend Marcel Simon (1872-1958) avec qui Feydeau se lie d'amitié. *5 novembre.* Les trois actes de *Champignol malgré lui*, écrits avec Desvallières, remportent un immense triomphe aux Nouveautés : 428 représentations ! Le succès est moindre pour *Le Système Ribadier*, trois actes créés au Palais-Royal le 30 novembre et écrits avec Maurice Hennequin (1863-1926).

1893. *Février.* Déménagement au 75 rue de Chaillot. Feydeau est une figure du Boulevard et du Tout-Paris nocturne tandis que sa femme tient salon.

1894. *9 janvier.* Création d'*Un fil à la patte* au Palais-Royal. Le succès est très net (129 représentations). Nommé chevalier de la Légion d'honneur, Feydeau fait ses débuts sur une scène officielle grâce aux trois actes du *Ruban* à l'Odéon le 24 février. Mais cette comédie, écrite avec Desvallières, n'est jouée que 44 fois. Les deux hommes reviennent au vaudeville et triomphent avec *L'Hôtel du libre-échange*, créé le 5 décembre 1894 aux Nouveautés et représenté 375 fois.

1896. *8 février.* Création du *Dindon* au Palais-Royal. C'est un nouveau succès avec 275 représentations. Feydeau revient aux pièces en un acte : *Les Pavés de l'ours*, Théâtre de Versailles, septembre 1896 ; *Séance de nuit*, Palais-Royal, mars 1897 ; *Dormez, je le veux !*, *Eldorado*, avril 1897.

1899. *17 janvier.* Avec *La Dame de chez Maxim*, aux Nouveautés, Feydeau écrit sa pièce la plus longue et la plus foisonnante. Armande Cassive (1873-1940) triomphe dans le rôle de la Môme Crevette. La pièce est jouée 524 fois.

1900. *Avril.* Déménagement dans un hôtel particulier de l'avenue du Bois (actuelle avenue Foch).

1902. *23 février.* Création au Théâtre de la Gaîté du *Billet de Joséphine*, opéra-comique à grand spectacle, écrit avec Jules Méry, musique d'Alfred Kaiser. Ce travail de commande, qui est très mal accueilli, retarde la création de *La Duchesse des Folies-Bergère* qui a lieu le 3 décembre aux Nouveautés; avec 82 représentations, cette suite de *La Dame…* est un demi-succès seulement.

1904. *1er mars. La main passe*, aux Nouveautés, permet à Feydeau de retrouver le succès (211 représentations). Des problèmes d'argent le forcent malgré tout à quitter en avril son hôtel particulier et à s'installer dans un appartement rue de Longchamp. Marie-Anne obtient la séparation de biens.

1905. *1er mai.* Création de *L'Âge d'or*, « pièce féerique à grand spectacle en deux actes », écrite avec Desvallières, musique de Léon Varney. L'œuvre est bien accueillie mais elle n'est jouée que 33 fois. *Le Bourgeon*, créé le 1er mars 1906 au Vaudeville, fait une plus longue carrière (92 représentations) et montre que Feydeau cherche à être reconnu comme auteur de comédie.

1907. *2 mars.* Création aux Nouveautés de *La Puce à l'oreille* dont la carrière (86 représentations) est perturbée par la mort de l'acteur Torin, le créateur du rôle de Camille.

1908. *15 mars.* Création aux Nouveautés d'*Occupe-toi d'Amélie* qui, avec 128 représentations, est un succès. De plus en plus lassé du vaudeville, Feydeau donne à la Comédie-Royale, le 15 novembre, *Feu la mère de Madame*, pièce en un acte, qui inaugure le genre de la farce conjugale et qui est très bien accueilli.

1909. *29 octobre.* Feydeau collabore pour la première fois avec Francis de Croisset (1877-1937) pour *Le Circuit*, créé aux Variétés. Cette évocation des courses automobiles n'est jouée que 41 fois. Le mois précédent, Feydeau a quitté le domicile conjugal pour s'installer dans l'appartement 189 de l'hôtel Terminus, près de la gare Saint-Lazare.

1910. *12 avril.* Avec *On purge Bébé !*, créé aux Nouveautés, Feydeau persévère avec succès dans la farce conjugale en un acte. En septembre, les Nouveautés mettent en répétition *Cent millions qui tombent.* Mais Feydeau ne parvient pas à terminer la pièce.

1911. Feydeau se consacre à la farce conjugale : *Mais n'te promène donc pas toute nue !* (en novembre au Théâtre Femina) et *Léonie est en avance* (en décembre à la Comédie-Royale). Il commence à vendre les droits d'adaptation de ses pièces au cinéma.

1912-1914. Feydeau est élu par ses pairs vice-président de la Société des Auteurs et Compositeurs Dramatiques (SACD). Il en était sociétaire depuis 1890.

1913. *Février.* Le Théâtre Michel met en répétitions *On va faire la cocotte* mais Feydeau, une nouvelle fois, est incapable de terminer l'ouvrage. *Juin 1913.* Installation définitive à l'hôtel Terminus. *5 juillet.* Il est nommé officier de la Légion d'honneur.

1914. *18 février.* Avec René Peter (1872-1947), Feydeau fait jouer à l'Athénée *Je ne trompe pas mon mari*, pièce mieux accueillie par le public que par la critique.

1916. *14 janvier.* Création d'une cinquième farce conjugale, au Palais-Royal : *Hortense a dit « J'm'en fous ».* *6 avril.* Le divorce est prononcé, à la demande de Marie-Anne.

1918. À l'automne, Feydeau déménage au 60 rue de Londres.

1919. Premiers symptômes d'une méningo-encéphalite syphilitique. *Octobre.* Les fils de Feydeau —

Jacques, né en 1892, Michel, né en 1900, et Jean-Pierre, né en 1903 — le font entrer dans un sanatorium à Rueil-Malmaison. Son état se dégrade au fil des mois.

1921. *5 juin.* Mort de Feydeau à Rueil-Malmaison. *8 juin.* La messe d'enterrement est célébrée à l'église de la Trinité à Paris, avant l'inhumation au cimetière Montmartre.

NOTICE

On peut supposer que c'est le succès de *Monsieur chasse !* (1892) qui décida le Théâtre du Palais-Royal à commander à Feydeau une nouvelle pièce, en l'occurrence *Un fil à la patte* auquel le dramaturge travaillait déjà depuis deux ans. Même si *Le Système Ribadier*, créé sept mois plus tard, a été moins bien accueilli, les directeurs, Mussay et Boyer, entendent en 1893 ne pas laisser l'auteur à succès être accaparé par les scènes concurrentes. Ils sont sans doute assez marris d'avoir refusé de monter *Champignol malgré lui* qui a triomphé aux Nouveautés. Temple du vaudeville depuis sa création en 1831, le Théâtre du Palais-Royal a longtemps été le théâtre préféré de Labiche avant de créer dans les années 1870 quelques grands succès de Meilhac et Halévy. Depuis cette époque, il doit lutter contre plusieurs autres théâtres afin de maintenir sa suprématie dans le domaine du vaudeville, non sans s'autoriser des incursions dans l'opérette (genre brillamment inauguré sur cette scène en 1866 avec *La Vie parisienne* d'Offenbach). En 1892, outre les deux pièces de Feydeau, le théâtre connaît un certain succès avec la reprise de *Bébé*, une comédie d'Émile de Najac et Alfred Hennequin. En 1893, on fait appel à des auteurs renommés comme

Alexandre Bisson, le duo Ernest Blum et Raoul Toché ou encore Henri Meilhac mais c'est Léon Gandillot qui fournit le grand succès de l'année avec une comédie-vaudeville en trois actes, *Le Sous-préfet du Château-Buzard*, qui est jouée plus de cent fois. Tandis qu'une comédie en quatre actes de Meilhac et Saint-Albin, *Leurs gigolettes*, occupe l'affiche, les répétitions d'*Un fil à la patte* commencent à l'automne 1893.

Feydeau, dans une lettre adressée à Serge Basset du *Figaro* à l'occasion d'une reprise en 1911, évoque avec nostalgie cette période :

> *Je revois ma lecture aux artistes ; mes répétitions : Saint-Germain, Milher, Raimond, ces trois colosses du rire. Quelle joie et quelle aubaine pour un jeune auteur d'avoir pour interprètes des comiques de cette envergure* [!] *Et je ne doutais de rien ! Je leur donnais des indications ; je corrigeais leur jeu ; moi, le presque débutant, à ces vieux routiers ! Au fond, tout de même un peu surpris de mon aplomb, et encore plus de la déférence avec laquelle ils acceptaient mes observations, ils me prenaient au sérieux, c'était comique ! Ce que j'admirais le plus chez eux, c'était leur sincérité, leur conviction. […] Pour le principal rôle de femme, on avait songé à Marguerite Ugalde ; je ne sais quelle circonstance empêcha l'affaire de se conclure. Alors ma foi, faute d'étoile, je pris dans le rang ; une petite femme à qui on accordait de la gentillesse et de l'espièglerie ; une frimousse. Je l'avais remarquée dans les quelques pannes* [petits rôles sans intérêt] *qu'on daignait de temps en temps lui confier. Sa création du coup la révéla. Depuis elle a plutôt gagné ses grades ; elle s'appelle Jane* [sic] *Cheirel*[1].

1. *Le Figaro*, numéro du 10 mai 1911, « Avant le *Fil à la patte* ». Marguerite Ugalde (1862-1940), créatrice du rôle de Nicklausse dans *Les Contes d'Hoffmann* d'Offenbach, a fait une carrière de mezzo-soprano et de comédienne.

Non sans modestie, le dramaturge insiste sur la qualité de la troupe du Palais-Royal. Il peut s'appuyer en effet sur un trio comique très aimé du public. Créateur du personnage de Bouzin, Saint-Germain (1833-1899) n'a pas eu la carrière que son premier prix de comédie au Conservatoire annonçait. Passé par l'Odéon et la Comédie-Française, il se sent déclassé sur les scènes du « Boulevard » où il a créé des rôles pour Sardou, Labiche et Augier. Il est l'un des acteurs les plus originaux de sa génération. Raimond (1850-1906), le créateur de Bois-d'Enghien, est quant à lui spécialisé dans l'emploi des amoureux burlesques, au regard ahuri et à la voix suraiguë. Il est le lointain héritier du personnage de Jocrisse jadis incarné par Brunet, à la fois naïf et malicieux. Milher (1833-1898), enfin, le créateur du général Irrigua, a derrière lui en 1894 une carrière encore plus riche : il a triomphé dans l'opérette aux Folies-Dramatiques (en particulier dans le répertoire excentrique d'Hervé) et il est également auteur de vaudevilles et de revues. Feydeau a su remarquablement bien utiliser ces trois fortes personnalités qu'il avait peut-être déjà en tête quand il écrivait sa pièce. Comme il le rappelle lui-même, Jeanne Cheirel (1868-1934) n'est en 1894 qu'une actrice peu connue dont la carrière va être lancée par le succès d'*Un fil à la patte*. Dans le rôle de Lucette, elle est, selon *Paris-Premières*, « le gavroche parisien dans la meilleure acception du terme[1] ». À côté de ce quatuor, le reste de la troupe fait preuve d'un solide métier. Mme Franck-Mel, par exemple, la créatrice de la baronne Duverger, a participé à des tournées en Inde et aux Antilles puis a joué à Nice et à Bruxelles avant d'intégrer la troupe du Palais-Royal.

1. *Paris-Premières*, numéro du 24 mars 1894.

Une création à succès

Le 26 décembre 1893, le manuscrit d'*Un fil à la patte* est soumis à la censure dramatique, laquelle ne voit rien à redire à l'ouvrage[1]. Ce manuscrit présente quelques variantes qui, cependant, ne modifient pas sensiblement l'intrigue. La résidence de la baronne Duverger est ainsi située à Ville-d'Avray et le deuxième acte est un peu plus long que dans la version définitive. Lucette donne son corset à desserrer à Bois-d'Enghien, lequel le remet à Bouzin qui croit que le corset fait partie de la corbeille de la mariée ! Bouzin se voit également confier la tâche de lire le contrat — lecture rendue comique par le fait que les deux futurs mariés sont désignés par les mots « le chose » et « la machin » pour respecter le soi-disant chagrin d'amour de Lucette… C'est d'ailleurs le notaire qui révèle à Lucette la véritable condition de Bois-d'Enghien en le priant de signer le contrat en tant que « fiancé ». Au cours des dernières répétitions, Feydeau a resserré cette fin d'acte, quitte à enlever à Bouzin quelques effets comiques. De même, dans le troisième acte, il a supprimé une scène où Marceline, Chenneviette et Firmin étaient envoyés par Lucette afin de supplier Bois-d'Enghien « de la laisser revenir ». La nécessité de préserver le rythme de la pièce a une fois de plus prévalu. Sans doute de semblables corrections ont-elles été apportées jusqu'à la répétition générale qui a lieu le lundi 8 janvier 1894. La première a lieu le lendemain. Elle se déroule de manière triomphale. En 1911, Feydeau se souvient :

1. Archives nationales, F[18] 887, manuscrit daté du 26 décembre 1893.

> *Je n'oublierai jamais le succès qui fut fait à cette première. J'en ai connu de belles depuis ; jamais — est-ce parce que j'ai vieilli ? — je n'ai retrouvé des sensations pareilles. [...] Joie dans la salle, rappels ; maximum dès le lendemain. Toute la lyre ! Décoré la veille ; gros succès le lendemain, vous pensez si j'étais à la joie*[1].

La première de la nouvelle pièce coïncide en effet avec la nomination de Feydeau comme chevalier de la Légion d'honneur et la presse ne se prive pas de commenter cette double bonne fortune. Les spectateurs accourent au Palais-Royal. Le premier week-end, le théâtre encaisse plus de 15 000 francs de recettes — une somme exceptionnelle. Le premier mois, du 9 janvier au 8 février inclus, rapporte très précisément 175 136 francs, soit le maximum tous les soirs. La centième a lieu le 6 avril et elle est célébrée quatre jours plus tard par un souper de centième dans le foyer, selon la coutume. La pièce ne quitte l'affiche qu'au bout de 129 représentations, le 15 mai. Même si elles sont écrites par des auteurs confirmés (Maurice Desvallières, Maurice Hennequin, Alexandre Bisson, etc.), aucune des autres pièces créées au Palais-Royal en 1894 n'est mieux accueillie qu'*Un fil à la patte.*

Si le public a tout de suite plébiscité l'ouvrage, Feydeau n'a pas à se plaindre de la presse. Francisque Sarcey, le puissant critique du *Temps,* l'a toujours encouragé et il se montre à nouveau aimable face à cette « réjouissante folie ». Si la plupart de ses confrères insistent sur le manque d'originalité de l'intrigue et n'hésitent pas à citer les pièces dont Feydeau a pu s'inspirer, tous admirent la sûreté de main du jeune auteur : « Il est étonnant de voir avec quel art, avec quelle entente scé-

1. *Le Figaro,* numéro du 10 mai 1911, « Avant le *Fil à la patte* ».

nique il conduit une intrigue sans jamais la perdre, au milieu des cascades de l'action et des folies du dialogue[1]. » Tous s'extasient aussi sur la puissance comique de l'ouvrage : « Vous rirez follement, éperdument, convulsivement, vous rirez à en éclater. Plus sûrement que le pal amène la mort, *Un fil à la patte* procure la gaieté[2]. » Certains vont même jusqu'à reconnaître au vaudevilliste une certaine profondeur : « Et puis, dans cette pièce toute d'action, les personnages, qui sont personnages de théâtre, ont parfois une touche d'observation et de comédie qui les fait plus vivants[3]. » L'interprétation est unanimement louée, en particulier celle de Saint-Germain. « Ainsi voilà M. Bouzin qui arrive ; il est maigre, hâve, râpé et digne. C'est Saint-Germain, dont l'entrée a soulevé de longs rires[4]. » Il est vrai que certains journaux estiment au contraire que la pièce n'est pas exempte de vulgarité. *La Lanterne* reproche ainsi à Feydeau « d'avoir souvent recherché l'effet comique par la vulgarité, la grossièreté même, des situations » ; la mauvaise odeur de Fontanet est dénoncée comme un effet facile et déplaisant et Chenneviette apparaît comme « un personnage absolument répugnant, un Alphonse de bas étage[5] ». Hector Pessard, dans *Le Gaulois*, est encore plus sévère en condamnant une invention « laborieuse », un dialogue qui « glisse dans la trivialité » et un mouvement

1. *La Presse*, numéro du 11 janvier 1894, « Les premières » par Émile Duret-Hostein.
2. *La Justice*, numéro du 11 janvier 1894, « La soirée d'hier » par Charles Martel.
3. *Le Figaro*, numéro du 10 janvier 1894, « Les théâtres » par Henry Fouquier.
4. *Le Temps*, numéro du 15 janvier 1894, « Chronique théâtrale » par Francisque Sarcey.
5. *La Lanterne*, numéro du 11 janvier 1894, « La soirée », article non signé.

scénique qui « dégénère en pantomime désarticulée à la Hanlon-Lee[1] ». Le ton est plus dédaigneux que sévère dans la *Revue d'art dramatique*, l'organe qui défend le théâtre d'avant-garde (en 1894, le Théâtre Libre d'André Antoine monte Hauptmann et Barrès). On y parle d'« un vaudeville bouffe qui ne dépasse pas la moyenne du genre », à l'intrigue « surchargée de bouffonneries grotesques et de plaisanteries que l'on voudrait parfois de meilleur goût[2] ».

Diffusion et reprises

Les réserves de certains critiques n'entravent en rien la carrière d'*Un fil à la patte*. Dès le mois d'avril 1894, Feydeau se rend à Bruxelles où le Théâtre du Vaudeville monte sa pièce. Au même moment, l'œuvre est représentée dans les villes d'eau (par exemple Aix-les-Bains) qui commencent leur saison. Durant l'été, elle est au répertoire de la tournée Frédéric Achard qui, à son passage à Boulogne-sur-Mer, reçoit les félicitations de Feydeau en personne, celui-ci étant en villégiature au bord de la Manche. Achard conduit la pièce jusqu'en Algérie. Les grandes villes de province la réclament à leur tour. *Un fil à la patte* est joué au Théâtre des Variétés de Marseille en octobre 1894. L'année suivante, la pièce triomphe au Residenz-Theater à Berlin et Feydeau est invité à venir assister à la centième — invitation qu'une maladie le force à décliner. L'attractivité de l'ouvrage ne faiblit pas dans les années qui suivent. Le public

1. *Le Gaulois*, numéro du 10 janvier 1894, « Les premières » par Hector Pessard.
2. *Revue d'art dramatique*, livraison du 15 janvier 1894, « Critique dramatique » par L. François.

rouennais, à qui la tournée Achard n'avait offert qu'une représentation en 1894, lui fait fête en mars 1897 quand il est repris par la troupe du Grand-Théâtre. Le succès est tout aussi grand à Rennes en novembre 1900. Parmi toutes les représentations données en province et à l'étranger, l'une des plus singulières est sans doute celle donnée au Théâtre-Michel de Saint-Pétersbourg en mars 1903. Dans cette salle où une troupe française est installée depuis soixante-dix ans, aux frais du régime tsariste, *Un fil à la patte* est donné, à l'occasion d'une représentation à bénéfice, devant l'empereur Nicolas II et la famille impériale. Le succès est très net, en particulier pour le personnage du général Irrigua qui soulève des tempêtes de rire.

Alors que la pièce fait ainsi le tour du monde, il faut attendre cinq ans pour que le Palais-Royal songe à la reprendre, à partir du 1er avril 1899. Raimond, Jeanne Cheirel et Mme Franck-Mel sont les seuls artistes à garder leur rôle. Si Charles Lamy ne parvient pas tout à fait à faire oublier Saint-Germain dans le rôle de Bouzin, le général Irrigua est interprété par Firmin Gémier (1865-1933), le futur créateur du T.N.P., prêté pour l'occasion au Palais-Royal par le Théâtre Antoine. Un critique note que Gémier a « recréé le rôle du rastaquouère avec sa recherche habituelle, son grand talent de composition et son exquise finesse de comédien soigneux, finesse si parfaite même qu'elle déchante [*sic*] presque, dans ce milieu de comiques déchaînés[1] ». Un de ses confrères ajoute : « Il nous semblait vivre le soir où Rachel interpréta Dorine[2]. » La reprise est traitée par

1. *Le Petit Parisien*, numéro du 2 avril 1899, « Les premières » par Félix Duquesnel.

2. *L'Aurore*, numéro du 2 avril 1899, « Théâtres » par Charles Martel.

la presse avec les égards dus à une création. Comme l'écrit Léon Kerst, « ce vaudeville n'a rien perdu de sa verve. Il était en sommeil, voilà tout. On le réveille, et aussitôt il reprend son empire sur les rates humaines[1] ». Tous les critiques s'accordent à dire que la pièce n'a pas vieilli et certains, dont Sarcey, la jugent même plus réussie que *La Dame de chez Maxim* qui fait salle comble aux Nouveautés. Le public, pour sa part, plébiscite la reprise, ce dont témoignent pas moins de 139 représentations. À la fin de l'année, Feydeau publie la pièce à la librairie Ollendorff[2] ce qui contribue à faire de cette reprise de 1899 une étape importante dans l'histoire de l'œuvre. Il faut ensuite attendre douze ans pour qu'*Un fil à la patte* soit de nouveau monté à Paris. L'événement a lieu en mai 1911 au Théâtre Antoine que son directeur, Firmin Gémier, a loué pour cinq mois à Marcel Simon. Ce dernier, très lié à Feydeau, interprète le rôle de Bois-d'Enghien tandis qu'Armande Cassive s'empare de celui de Lucette, laissant quelque peu dans l'ombre les interprètes des rôles de Bouzin et du général Irrigua. Le succès de ce spectacle (qui dépasse les cent représentations) redonne à *Un fil à la patte* sa réputation de pièce au succès assuré et, dès lors, les reprises se succèdent : en 1913 à la Renaissance (Feydeau participe à la mise en scène), en 1915 au Vaudeville, en 1916 à l'Athénée (avec Jeanne Cheirel dans le rôle qu'elle a créé), en 1917 au Théâtre Déjazet. Juste après la mort de Feydeau, *Un fil à la patte* est repris en août 1921 à la Scala, sous l'impulsion du fidèle Marcel Simon. La popularité de l'œuvre peut se mesurer, de manière amusante, au fait

1. *Le Petit Journal*, numéro du 2 avril 1899, « Premières représentations », article signé L. K.

2. Le présent volume reprend la deuxième édition publiée par Ollendorff en 1900.

que son titre devient le nom d'un pur-sang qui fait beaucoup parler de lui en 1919 sur les champs de courses. La pièce est devenue un classique du rire, elle à propos de laquelle Félix Duquesnel écrivait dès 1899 : « À quoi bon revenir sur ces folies aujourd'hui classiques, comme *L'Iliade*, et dont un jour ou l'autre on demandera l'analyse pour l'examen du baccalauréat ès lettres nouveau jeu[1] ! »

1. *Le Gaulois*, numéro du 2 avril 1899, « Les premières » par Félix Duquesnel.

MISES EN SCÈNE

Au XXe siècle, *Un fil à la patte* est une des pièces de Feydeau les plus régulièrement reprises. Son succès est attesté par le fait qu'elle n'a cessé d'intéresser le cinéma. Un court-métrage muet est distribué en 1914 par l'Agence générale cinématographique. Réalisé par Henri Pouctal et Marcel Simon, le film comprend dans sa distribution Robert Saidreau, dans le rôle de Fontanet. Dix ans plus tard, le même Saidreau réalise une version longue d'*Un fil à la patte.* L'action a été modernisée et complétée. Ainsi qu'on le lit dans une brochure de présentation du film, « une partie très pittoresque se déroule dans les coulisses du music-hall, et nous initie à leur vie parisienne et si remuante[1] ». En 1924 comme en 1914, c'est l'acteur Germain qui tient le rôle de Bouzin. Neuf ans plus tard, en 1933, une nouvelle adaptation — parlante cette fois-ci — est proposée par Karl Anton. Là encore, l'action a été sensiblement modifiée, le général Irrigua étant par exemple devenu un gangster américain appelé Ben Capona. Le film met en vedette Robert Burnier (Bois-d'Enghien) et Spinelly (Lucette), Bouzin étant

1. Brochure conservée à la Bibliothèque nationale de France, département des Arts du spectacle, Rf 58.641.

interprété par Pierre Larquey. En 1954, Noël-Noël signe une nouvelle adaptation et se distribue dans le rôle de Bois-d'Enghien. Le film, réalisé par Guy Lefranc, comprend lui aussi des scènes de music-hall. Suzy Delair interprète Lucette et Bourvil joue Bouzin. En 2005, Michel Deville propose à son tour une version de la pièce, avec Charles Berling (Bois-d'Enghien), Emmanuelle Béart (Lucette), Patrick Timsit (Bouzin), Dominique Blanc (La Baronne), Sara Forestier (Viviane), Stanislas Merhar (Irriga), Tom Novembre (Chenneviette)... Rosalinde Deville, auteur de l'adaptation, explique son parti pris initial : « Plutôt transposer des comportements d'aujourd'hui à l'époque de Feydeau que transposer aujourd'hui une pièce de la fin du XIXe siècle[1]. » Son jugement sur l'œuvre est assez critique : « La pièce est formidable, mais le troisième acte est un peu conventionnel et le dénouement un rien paresseux. » De même, le général Irrigua parle désormais en vers car « le "rastaquouère" parlant français avec un fort accent hispanique, qui se fait mal comprendre, etc., ça ne fait plus tellement rire ». Avec 170 000 entrées, le film fait une carrière discrète et l'accueil de la presse est assez mitigé. Bernard Murat constate dans *Télérama* : « Visiblement, Deville a voulu faire du rythme la seule star de son film, mais la cavalcade qu'il orchestre semble constamment se dérouler sans nous. Les anachronismes volontaires font à peine sourire. Les pièges dans lesquels s'engluent les héros ne provoquent ni l'angoisse ni le fou rire[2]. »

Si le cinéma se tourne régulièrement vers *Un fil à la patte*, c'est que la pièce ne quitte guère l'affiche. Elle est

1. Propos tiré de l'entretien donné par Rosalinde Deville pour le site internet du film <http://www.unfilalapatte.com>.

2. Critique reprise sur le site internet de l'hebdomadaire <http://television.telerama.fr>.

notamment jouée au Théâtre des Bouffes du Nord en 1929, à l'Odéon en 1943 et au Théâtre de Paris en 1954, avec Duvallès dans le rôle du général Irrigua. Cependant, alors que Feydeau n'avait jamais été représenté de son vivant à la Comédie-Française, c'est paradoxalement dans ce dernier théâtre que la pièce va connaître sa reprise la plus brillante de tout le XXe siècle. Feydeau était entré au répertoire du Français en 1941 avec *Feu la mère de Madame*. Dix ans plus tard, à la salle Luxembourg (c'est-à-dire à l'Odéon), Jean Meyer avait monté *Le Dindon*. Le spectacle avait eu beaucoup de succès mais il avait également suscité une polémique, certains pensant que la vocation de l'illustre maison n'était pas de jouer le vaudeville[1]. Cette querelle n'empêche pas Jacques Charon — qui jouait Pontagnac dans *Le Dindon* — de mettre en scène *Un fil à la patte* dont la première représentation à la Comédie-Française est donnée le 10 décembre 1961. C'est un triomphe. Si la mise en scène de Charon est assez classique, on apprécie son « mouvement allègre, vivace, preste, prestissime, endiablé, vertigineux, frénétique[2] ». Le succès tient plus encore à la qualité de l'interprétation. Max Favalelli constate :

> *Micheline Boudet* [Lucette], *pétulante et vive ainsi qu'une guêpe (dont elle a la taille), Denise Gence* [Marceline], *que l'on ne voit pas assez, Catherine Samie* [Nini], *éclatante de santé et d'allégresse, Marthe Alycia* [la baronne Duverger], *qui met de l'autorité jusque dans ses ébahissements. Jean Piat* [Bois-d'Enghien] *conduit magistralement le jeu, entouré de Georges Descrières* [Irri-

1. Cf. *Le Dindon*, édition de Robert Abirached, Gallimard, Folio Théâtre n° 71, 2001.

2. *Le Figaro*, numéro du 14 décembre 1961, critique de Jean-Jacques Gautier.

> gua], *général rastaquouère au regard et aux moustaches de caramel, de Jean-Paul Roussillon* [Jean], *valet vétilleux, de Jacques Charon* [Fontanet] *bouclé ainsi qu'un gros épagneul, de Jacques Sereys* [Chenneviette], *etc. Mais celui qui domine la distribution et fait hurler la salle de joie à chacune de ses apparitions, c'est Robert Hirsch* [Bouzin], *comédien prodigieux. Ficelé dans un rase-pet, la poitrine concave, le mollet en arceau dans l'accordéon du pantalon rayé, l'œil triste sous des sourcils en accent circonflexe et coiffé d'un melon pisseux, il fait penser à un Charlot fin de siècle. Quel acteur*[1] *!*

L'homogénéité de la troupe du Français est en effet exceptionnelle : Jacques Charon évoque « une rencontre entre des comédiens articulés les uns aux autres comme des siamois ». Il note également « une complicité profonde entre le public et les comédiens » :

> *Le public du* Fil à la patte *nous a portés. Quand il s'installait dans la salle, déjà, derrière le rideau, nous pouvions sentir l'air se charger de plaisir. Les rires étaient là, prêts à crever. Nous n'avions plus qu'à bien appliquer les règles du jeu pour les entendre exploser*[2].

Le spectacle est dominé par la prestation de Robert Hirsch qui fait du rôle de Bouzin « une espèce de créature shakespearienne » (Jean-Jacques Gautier). Sa façon de remettre ses gants ou encore sa descente de l'escalier du troisième acte marquent profondément les esprits.

1. *Paris-Presse. L'Intransigeant*, numéro du 14 décembre 1961, critique de Max Favalelli.
2. Jacques Charon, *Moi, un comédien*, Paris, Albin Michel, 1975, p. 232.

Désormais, pour beaucoup de spectateurs, *Un fil à la patte*, c'est avant tout Robert Hirsch jouant Bouzin.

La mise en scène de Jacques Charon est représentée par les Comédiens-Français 254 fois jusqu'en 1973. Le spectacle est donné en tournée (Bruxelles et Londres en 1962, Amérique du Sud en 1963, États-Unis en 1966[1]). Il est filmé en octobre 1970 au Théâtre Marigny pour l'émission de télévision « Au théâtre ce soir » qui le diffuse le 26 décembre 1970 puis le 9 janvier 1976. Cet immense succès a peut-être quelque peu dissuadé d'autres metteurs en scène. On peut le supposer en observant qu'il n'y a pas de reprises très marquantes dans les années 1970 et 1980. D'octobre 1989 à juin 1990, la pièce retrouve le Théâtre du Palais-Royal où elle a été créée ; le spectacle, mis en scène par Pierre Mondy, vaut surtout par la présence de Jacques Villeret qui interprète Bouzin. Plus marquante est la reprise d'*Un fil à la patte* à l'Odéon en mars 2001. La mise en scène de Georges Lavaudant est jouée à Paris et en province jusqu'en 2006. « Vaudeville, vitesse et venin » : tels sont les trois mots que le metteur en scène a voulu mettre en avant, cherchant avec ses acteurs « à cerner le style propre de Feydeau, à méditer l'hystérie des situations qu'il propose, en se consacrant patiemment à un travail collectif où les gestes et les intonations de tous les interprètes se prolongent et se répondent sans cesse et où la déflagration comique est d'abord affaire de rythme et de ton justes[2] ». Comme l'écrit un critique, « tout le talent de Lavaudant consiste à jouer le jeu, non de façon vulgaire (celle de la

1. Cf. la contribution d'Agathe Sanjuan, conservatrice-archiviste de la Comédie-Française, au programme d'*Un fil à la patte*, Comédie-Française, 2010.

2. Citations tirées du dossier de presse publié par l'Odéon, 2001.

surenchère héritée de la routine de plateau, le « boulevard » en effet) mais d'une manière élégante, infiniment artiste. [...] Lavaudant crée un univers plastique entêtant, aux confins du fantastique. Jean-Pierre Vergier, complice de toujours, a conçu un décor peu encombré, qui suggère un monde en laissant le champ libre à la course des comédiens[1] ». Faisant la part moins belle que d'habitude à Bouzin et au général Irrigua, le spectacle met en avant la figure de Bois-d'Enghien : « Clé de voûte du vaudeville, dans ce rôle marathon, Patrick Pineau, tour à tour explosif, madré, fataliste ou blasé, est tout bonnement merveilleux[2]. » Parallèlement à cette tentative de « poétisation du grotesque » (Jean-Pierre Léonardini), *Un fil à la patte* est monté en 2001 au Théâtre du Rideau de Bruxelles, dans une mise en scène de Frédéric Dussenne. Celui-ci a profondément réécrit l'œuvre pour y insérer des extraits musicaux tirés du répertoire d'Offenbach. « J'espère beaucoup de cette rencontre-là, entre le chaud et le froid, le ridicule et le pathétique, la cruauté du bouffon et la fragilité du clown, dans un même éclat de rire salvateur[3] », écrit le metteur en scène, désireux d'instaurer un « dialogue posthume et secret » entre Feydeau et Offenbach. Lorgnant vers le cabaret et l'opérette, ce *Fil à la patte* bruxellois aurait sans doute dû être présenté sous un autre titre tant on est loin de la pièce de Feydeau. Une autre tentative du même genre est celle de Pierre Matras, en 2008. Sans décor ni costume, son spectacle met en scène deux

1. *L'Humanité*, numéro du 7 janvier 2002, chronique théâtrale de Jean-Pierre Léonardini.
2. *Libération*, numéro du 13 mars 2001, article de Mathilde La Bardonnie.
3. Citation tirée du dossier pédagogique du spectacle disponible sur le site internet du Théâtre du Rideau de Bruxelles.

comédiens contraints par la défection de leurs camarades à jouer tous les rôles de la pièce. « Les tirades désuètes s'évaporent comme par enchantement dans un discours alerte et spirituel. Enfin, le jeu si souvent classique à mourir des comédiens fait place à une interprétation mortelle [*sic*] », se réjouit le critique de *La Dépêche de Toulouse*[1].

C'est cependant avec une mise en scène bien plus traditionnelle, celle de Jérôme Deschamps, qu'*Un fil à la patte* fait son retour à la Comédie-Française, à partir de décembre 2010. Le créateur de la troupe des Deschiens confie ainsi : « S'il y a un auteur qui, selon moi, ne s'est pas trompé dans ses recommandations, dans la rédaction de ses didascalies, c'est bien Feydeau. Je pense donc qu'il y a un grand danger à s'éloigner du respect de ces didascalies. Je me suis donc amusé, avec Laurent Peduzzi qui signe le décor, à faire un relevé assez scrupuleux des demandes de Feydeau[2]. » Ce parti pris de fidélité est remarqué par la critique : « À l'encontre d'une tendance actuelle, Jérôme Deschamps ne cherche pas à noircir Feydeau. En revanche, si l'on peut dire, il prend plaisir à jouer avec tous les charmes de la Comédie-Française [...]. Il a demandé un décor classique, et de magnifiques costumes d'époque, parfaits jusque dans le moindre ourlet, que les mises en scène modernes avaient oubliés. Et, visiblement, il s'est fait discret, laissant les comédiens chercher et inventer, dans un bel esprit de troupe[3]. » Certains s'en offusquent : « La pièce n'est plus ici qu'une

1. Article de Jean-Luc Martinez dans *La Dépêche de Toulouse* repris dans le dossier de presse du Grenier de Toulouse, s. d.

2. Propos tirés du dossier de presse d'*Un fil à la patte*, Comédie-Française, novembre 2010.

3. *Le Monde*, numéro du 11 décembre 2010, critique de Brigitte Salino.

vaine parade bourgeoise, tout juste bonne à vous chatouiller les yeux. [...] Voilà donc en somme du bon vieux théâtre de boulevard. On s'attendait à ce que la Comédie-Française trouve autre chose à nous dire à travers Feydeau[1]. » D'autres sont moins sévères, telle Armelle Héliot pour qui Jérôme Deschamps « laisse entendre sa note sombre, mine de rien, un burlesque noir, une férocité plus désespérée que celle de Feydeau[2] ». La plupart des critiques s'accordent pour louer la distribution dont la complicité fait songer au spectacle jadis mis en scène par Jacques Charon auquel, d'ailleurs, Jérôme Deschamps n'hésite pas à se référer. L'« héritage » le plus lourd à porter est sans nul doute celui qui s'attache au rôle de Bouzin. Christian Hecq l'assume avec brio : « Hecq joue de toutes ses fibres, jusqu'à accentuer l'étrangeté, se rabougrissant, laissant flotter ses membres comme s'il n'était qu'un pantin, diable toujours sorti de la boîte au mauvais moment[3]... » Son très grand succès personnel entre pour beaucoup dans celui du spectacle, à l'instar de ce qui s'était passé avec Robert Hirsch en 1961. L'acteur obtient d'ailleurs le Molière du meilleur comédien en 2011[4]. À ses côtés, Guillaume Gallienne (Chenneviette et miss Betting), Thierry Hancisse (Irrigua), Florence Viala (Lucette), Hervé Pierre (Bois-d'Enghien) et Dominique Constanza (La Baronne) prennent un plaisir manifeste à jouer la pièce. Ce *Fil à la patte* « festif, drôle et familial » (Brigitte Salino) fait salle

1. Blog de Judith Sibony sur le site du *Monde*, 3 janvier 2011.
2. *Le Figaro*, numéro du 7 décembre 2010, critique d'Armelle Héliot.
3. Armelle Héliot, article cité.
4. De surcroît, le spectacle reçoit le Molière du théâtre public et Guillaume Gallienne celui du comédien dans un second rôle.

comble et s'impose comme un des spectacles de Feydeau les plus fêtés du début du XXIe siècle. Repris en 2011-2012, puis en 2012-2013, il a sans doute une belle carrière devant lui salle Richelieu. Toutefois, la Comédie-Française ne monopolise pas la pièce et on relève au moins quatre autres mises en scène jouées en 2012 : celle de Jean-Claude Fall qui place l'intrigue dans les années 1950 et la dote de parties chantées, celle de Lise Quest qui repose sur un jeu non réaliste et inspiré de la commedia dell'arte, celle d'Isabelle Starkier qui situe l'action de nos jours et celle, plus traditionnelle, de Frédéric Schalck. On le voit, Bois-d'Enghien n'a pas fini de traquer les numéros du *Figaro* ni le général Irrigua de pourchasser Bouzin !

BIBLIOGRAPHIE

Œuvres de Georges Feydeau

Théâtre complet en neuf volumes, préface de Marcel Achard, Paris, Éditions du Bélier, 1948-1956.

Théâtre complet, édition d'Henry Gidel, Paris, Classiques Garnier, 4 volumes, 2011 (*Un fil à la patte* figure dans le 2e volume).

Ouvrages sur les spectacles au XIXe siècle

AUTRAND, Michel, *Le Théâtre en France de 1870 à 1914*, Paris, Honoré Champion, 2006.

CARADEC, François et WEILL, Alain, *Le Café-concert, 1848-1914*, Paris, Fayard, 2007.

WILD, Nicole, *Dictionnaire des théâtres parisiens, 1807-1914*, Lyon, Symétrie, 2012.

YON, Jean-Claude, *Une histoire du théâtre à Paris de la Révolution à la Grande Guerre*, Paris, Aubier, 2012.

Ouvrages sur le vaudeville

GIDEL, Henry, *Le Vaudeville*, Paris, PUF, coll. « Que sais-je ? », 1986.

MATTHES, Lothar, *Vaudeville, Untersuchungen zur Geschichte und literatursystematischem Ort einer Erfolgsgattung*, Heidelberg, C. Winter, 1983.

« Le vaudeville », *Europe*, n° 786, octobre 1994.

Ouvrages sur Georges Feydeau

« Georges Feydeau », *Les Nouveaux Cahiers de la Comédie-Française*, Paris, La Comédie-Française-L'Avant-Scène Théâtre, novembre 2010.

GIDEL, Henry, *Le Théâtre de Georges Feydeau*, Paris, Klincksieck, 1979.

GIDEL, Henry, *Georges Feydeau*, Paris, Flammarion, 1991.

HEYRAUD, Violaine, *Feydeau, la machine à vertiges*, Paris, Classiques Garnier, 2012.

« La question Feydeau », *Cahiers Renaud-Barrault*, n° 32, Gallimard, décembre 1960.

LORCEY, Jacques, *Georges Feydeau*, Paris, La Table Ronde, 1972.

LORCEY, Jacques, *L'Homme de chez Maxim's. Georges Feydeau, sa vie*, Paris, Séguier, 2004.

« Molière-Feydeau », *Cahiers Renaud-Barrault*, n° 15, Gallimard, janvier 1956.

SHENKAN, Arlette, *Georges Feydeau*, Paris, Seghers, 1972.

NOTES

Page 38.

1. Comme dans les deux actes suivants, cette longue didascalie témoigne de la précision avec laquelle Feydeau conçoit les décors de ses pièces. Tout est indiqué pour permettre les mouvements et les jeux de scène qui font partie intégrante de l'écriture du dramaturge.

Page 39.

1. Certes, le monde des cafés-concerts est jugé peu respectable par la bourgeoisie mais Lucette Gautier est une vedette reconnue dont il peut être flatteur d'être la sœur. En attribuant son célibat au métier de Lucette, Marceline se donne en fait une excuse facile pour expliquer la vacuité de sa vie sentimentale et se poser en victime.

Page 40.

1. Les indications chiffrées placées parfois après le nom des personnages, comme ici le (1) après le nom de Lucette, servent à indiquer la place des comédiens sur la scène. Plus le chiffre est petit, plus le comédien est au-devant de la scène, dans la partie la plus proche du public appelée « face » ; plus le chiffre est élevé, plus il

s'éloigne vers le « lointain ». Les scènes étant en pente dans les théâtres à l'italienne, on « descend » vers la face et on « monte » ou on « remonte » vers le lointain — termes que l'on retrouve dans les didascalies.

2. « L'antipyrine » est un médicament analgésique découvert en 1883 et d'un usage alors courant. « Aujourd'hui, la migraine n'est plus, comme autrefois, un mal incurable. Avec l'antipyrine Reynal, plus de souffrances, plus de contraintes, plus de claustration. Une seule cuillerée suffira pour dissiper la névralgie la plus aiguë, la migraine la plus accablante. Il ne vous restera pas seulement une lourdeur de tête » (publicité parue dans *Le Figaro*, numéro du 24 décembre 1894).

Page 44.

1. Le manque d'argent de Bois-d'Enghien n'est guère évoqué dans la suite de la pièce. Cette situation est peut-être l'une des raisons de son mariage avec Viviane Duverger mais l'indication permet surtout à Feydeau de dépeindre le cynisme de Chenneviette et le sentimentalisme de Marceline.

Page 49.

1. L'expression « héritière du Marais » est ambiguë. Au XIXe siècle, ce quartier n'est plus habité depuis longtemps par la noblesse dont les hôtels particuliers sont en partie occupés par des ateliers d'artisans. Mais les ambitions sociales de Nini sont sans doute limitées...

2. Il est impossible de prendre le « duc de la Courtille » pour un authentique aristocrate : le nom désigne en effet un faubourg de Paris où étaient installés dès le XVIIIe siècle guinguettes et cabarets. Le mercredi des Cendres, dans la première moitié du XIXe siècle, la fameuse « descente de la Courtille » était l'un des temps forts du Carnaval.

Page 50.

1. *Le Figaro* est particulièrement à l'honneur dans *Un fil à la patte.* Refondé par Hippolyte de Villemessant en 1854, ce journal conservateur — qui n'est devenu quotidien qu'en 1867 — est le journal du beau monde. Il traite de tous les aspects de la vie parisienne, dans un style léger et boulevardier. La littérature et les arts y occupent une place particulièrement importante.

Page 53.

1. Le terme de « divette », à la mode dans les années 1890, désigne une vedette de café-concert. En 1894, par exemple, *Le Gaulois* l'utilise pour qualifier Anna Judic (« l'inimitable divette ») et Yvette Guilbert (« notre divette populaire »).

Page 58.

1. L'attitude de Chenneviette, qui se fait entretenir par son ancienne maîtresse dont il élève l'enfant, a choqué quelques critiques lors de la création de la pièce. La situation, en effet, est en totale contradiction avec les usages sociaux du temps, en particulier avec la conception des devoirs respectifs de l'homme et de la femme vis-à-vis de leurs enfants.

Page 61.

1. À la Belle Époque, les grands quotidiens ont encore un format imposant (au moins 470 × 650 mm), ce qui conduit à plier le journal pour le transporter puis à le déplier pour le lire. Feydeau joue subtilement avec cette donnée matérielle. En dépliant largement l'exemplaire du *Figaro* de Mme Duverger, Bouzin semble étaler son incommensurable et naïf orgueil.

2. Le courrier des théâtres est la rubrique qui rend compte de l'activité quotidienne des salles parisiennes.

On y publie souvent des publicités déguisées, ce qui semble bien être le cas de l'entrefilet lu par Bouzin. L'Alcazar d'hiver, café-concert ouvert en 1860, est installé dans un bâtiment hispano-mauresque rue du Faubourg-Poissonnière tandis que l'Alcazar d'été est situé aux Champs-Élysées. La chanson écrite par Bouzin pour Mlle Maya illustre à la fois la vulgarité de la production chansonnière courante et ses sous-entendus grivois.

Page 62.

1. Mme Duverger, spontanément, n'a pas osé qualifier Bouzin d'écrivain ou de poète. Le terme « littérateur » est un compromis poli, plus ou moins neutre. Bouzin prend le mot comme un compliment, son état de clerc de notaire n'étant dans son esprit que provisoire. Après tout, Balzac et Scribe n'ont-ils pas travaillé l'un et l'autre dans une étude avant d'entamer leur carrière littéraire ?

Page 65.

1. « Moi, je pique des épingues » est une nouvelle illustration de la nullité littéraire de Bouzin et de son goût pour l'allusion égrillarde. On remarquera que le narrateur mis en scène par la chanson semble être un homme alors que la chanson est destinée à Lucette Gautier.

Page 66.

1. L'Eldorado, ouvert en 1858 boulevard de Strasbourg, est l'un des principaux cafés-concerts de la capitale. La chanson citée par Bouzin rappelle la place importante prise dans ces établissements par le répertoire patriotique en ces temps de revanche et de conquêtes coloniales. En outre, la méprise de Bouzin indique à quel point sa passion pour le café-concert

l'aveugle, la baronne Duverger ne ressemblant guère à une chanteuse !

Page 67.

1. En 1894, Yvette Guilbert (1865-1944) est la plus grande vedette féminine de la chanson française.

Page 70.

1. La bijouterie Béchambès était installée au Palais-Royal, 169 galerie de Valois.

Page 72.

1. « Moi j'touche des épingles, et voilà, ça y est, ça devient d'actualité » : Fontanet fait ici allusion aux nombreux scandales (en particulier celui de Panama) qui ont discrédité le personnel politique de la Troisième République.

Page 75.

1. Depuis la monarchie de Juillet et les caricatures de Louis-Philippe, le parapluie est un symbole de prosaïsme et de philistinisme. Outre le fait que son oubli justifie le retour de Bouzin, cet accessoire confirme que le clerc de notaire n'est en rien un artiste.

Page 78.

1. Sept mille francs représentent une grosse somme à la Belle Époque. C'est par exemple ce que gagne Paul Claudel comme vice-consul à New York en 1893.

Page 92.

1. « Carçonne » : pour appeler le domestique, le général Irrigua utilise le mot « garçon » comme dans un café, révélant ainsi malgré lui sa connaissance approximative du français.

2. « Quel idiot, celui-là ! »

Page 96.

1. La carrière du général Irrigua, ministre de la Guerre, puis condamné à mort, renvoie à la vision qu'ont les contemporains de Feydeau de l'Amérique latine : une terre de violence où se succèdent les coups d'État. On remarquera que la nationalité du général n'est pas précisée : plus qu'un militaire péruvien, argentin ou bolivien, il est avant tout un type, le rastaquouère.

2. Le baccara (ou baccarat) est un jeu de cartes qui se joue entre un banquier et des joueurs appelés « pontes ». Le hasard y joue un grand rôle et la figure du viveur qui se ruine au baccara est présente dans de nombreux romans du temps.

Page 102.

1. Lucette n'éprouve aucune gêne à accepter le bracelet du général tout en lui avouant qu'elle en aime un autre. Le trait dépeint son caractère.

Page 107.

1. « Mignonne, quand la nuit descendra sur la terre… » : Bois-d'Enghien chante le début du refrain de *La Chanson des blés d'or*, célèbre mélodie créée à la Scala en 1882.

Page 112.

1. L'intervention de la musique indique qu'on entre dans le « finale » de l'acte, le rythme s'accélérant ainsi que le confirme une didascalie de la scène suivante. La musique devait sans doute durer jusqu'à la chute du rideau et contribuait au caractère survolté de cette fin d'acte.

Page 119.

1. « Maman souhaite savoir si vous ne pouvez vraiment pas rester à notre soirée. »

2. « Hélas non ! Et je le regrette bien car cela m'aurait donné le plaisir de faire connaissance avec le fiancé de Mademoiselle Viviane ; mais ma mère ne va pas bien et je lui ai promis de passer la soirée avec elle. »

3. « Oh, oui... Et je suis très inquiète à son sujet : à son âge, la moindre maladie peut devenir grave. »

Page 121.

1. La baronne se sent obligée de préparer sa fille au mariage — une scène que l'on retrouve dans bien des pièces du XIXe siècle. Ici, le comique tient au mélange de naïveté et d'idées modernes qui caractérise l'attitude de Viviane. La jeune fille n'hésite pas à penser au divorce (institué en 1884) mais ignore comment on fait les enfants !

Page 129.

1. Bois-d'Enghien ne recule devant aucune exagération. Il était pourtant admis que l'homme n'arrivait pas vierge à son mariage, au contraire de sa fiancée.

Page 130.

1. Le prélat Pierre Cauchon (vers 1371-1442) a présidé la cour qui condamna Jeanne d'Arc à mort en 1431.

Page 134.

1. Bois-d'Enghien place la baronne et Fontanet dans un des lieux les plus en vue du Boulevard, à savoir le « refuge » où stationnent les passants qui traversent la place de l'Opéra, l'une des plus animées de la capitale. L'Opéra Garnier avait été inauguré en 1875.

Page 139.

1. « L'adieu de l'étrier » est une référence au « coup

de l'étrier », expression qui désigne le dernier verre que l'on boit avant de partir.

Page 142.

1. La méprise sur le baldaquin est révélatrice tant de la jalousie foncière de Marceline que de la vanité de Lucette, habituée à recueillir compliments et bravos.

Page 163.

1. Une fois de plus, le général Irrigua se trompe de mot, confondant le carton d'invitation à une soirée privée avec la contremarque qui permet à un spectateur de théâtre de rentrer dans l'établissement après en être sorti pendant la représentation.

Page 176.

1. Dans la bouche du général Irrigua, le mot « rastaquouère » reprend son sens premier de « personne méprisable ». Le fait qu'il utilise ce mot est particulièrement amusant.

Page 180.

1. Le revolver-éventail d'*Un fil à la patte* est resté dans les mémoires. Dix ans après la création de la pièce, un échotier y fait référence pour vanter un nouveau modèle d'éventail, le « petit vent du Nord » (cf. *Les Annales politiques et littéraires*, numéro du 21 août 1904, « Échos de Paris »).

Page 186.

1. À nouveau, la musique de scène indique le début du « finale » de l'acte, plus bref que celui du premier acte.

Page 188.

1. Le « Tout est rompu ! » de la baronne fait écho au « Mon gendre, tout est rompu ! » de Nonancourt dans *Un chapeau de paille d'Italie* (1851) de Labiche et Marc-Michel.

Page 196.

1. Avec les deux personnages du Monsieur et de la Dame, qui ne sont pourtant que de simples silhouettes, Feydeau évoque l'un de ses sujets favoris, l'incompréhension au sein du couple.

Page 200.

1. « Flûte ! On va me faire attendre une éternité ? »

2. Le terme « Canaque » est ici synonyme de « sauvage ». La présence française en Nouvelle-Calédonie remonte aux années 1850.

Page 204.

1. Le fait que Bouzin pense que Lucette se vante d'avoir une liaison avec lui est un bon exemple de son orgueil et de sa sottise.

Page 207.

1. Le mot « chaîne » est une allusion à une célèbre comédie d'Eugène Scribe (voir la préface, p. 14).

Page 215.

1. Un « rossignol » est un instrument qui sert à crocheter les portes.

Page 217.

1. La rapidité avec laquelle le général Irrigua s'échauffe ou se calme est une composante primordiale de sa force comique.

Page 226.

1. Victor Capoul (1839-1924) est un célèbre ténor qui a fait carrière en France et dans les pays anglo-saxons. En 1876, il a participé à la création de *Paul et Virginie*, opéra de Victor Massé sur un livret de Jules Barbier et Michel Carré, à l'Opéra-National-Lyrique. L'ouvrage sera repris par la troupe de l'Opéra-Comique en décembre 1894.

Page 228.

1. *Mireille*, opéra de Charles Gounod sur un livret de Michel Carré, d'après le poème de Frédéric Mistral, a été créé en 1864 au Théâtre-Lyrique. Mis au répertoire de l'Opéra-Comique dix ans plus tard, il y est resté jusqu'en 1971, avant d'entrer à celui de l'Opéra en 2009, à l'initiative de Nicolas Joel. L'air ou plutôt la chanson de Magali (« La brise est douce et parfumée… ») est l'un des morceaux les plus connus de l'ouvrage.

Page 230.

1. Bois-d'Enghien change soudain de registre en délaissant l'opéra pour une chanson de café-concert, en l'occurrence *En revenant de la revue*, une chanson-marche créée par Paulus en 1886 à l'Alcazar d'été. Cette évocation comique de la revue militaire du 14 juillet était en fait un texte de propagande à la gloire de « notr' brav' général Boulanger ». Alors que l'extrait de *Mireille* était utilisé comme « timbre » (de nouvelles paroles étant placées sur la musique), ce sont les paroles et la musique originales d'*En revenant de la Revue* que reprennent Bois-d'Enghien puis tous les domestiques.

Page 234.

1. Bouzin, une fois de plus, est à la fois ridicule, pitoyable et grandiloquent.

Page 235.

1. Cet « avis » a pour objet, en précisant deux détails techniques, de faciliter la reprise de la pièce sur les scènes de province et de l'étranger. Les placements des acteurs étant indiqués au fil des scènes, la pièce publiée fait office de livret de mise en scène.

RÉSUMÉ

Acte I

Dans le salon de l'élégant appartement de Lucette Gautier, vedette (« divette ») de café-concert, Marceline, la sœur de Lucette, s'impatiente : il est midi et quart et sa sœur n'est pas encore sortie de sa chambre. Justement elle paraît, toute joyeuse : Fernand de Bois-d'Enghien, son amant, est revenu la veille au soir coucher chez elle après deux semaines d'absence. La nouvelle étonne Gontran de Chenneviette, régisseur de Lucette, qui vient réclamer la pension de l'enfant qu'il a eu avec la chanteuse. Arrivent alors Nini Galant, une courtisane qui annonce son mariage avec le duc de la Courtille, puis Ignace de Fontanet, un ami dont la principale caractéristique est… de sentir mauvais. Bois-d'Enghien s'évertue à faire disparaître tous les numéros du *Figaro* que les visiteurs apportent : le journal annonce en effet son prochain mariage avec Viviane Duverger et le jeune homme, qui n'est revenu chez Lucette que pour rompre leur liaison, ne veut pas que sa maîtresse y découvre cette nouvelle qu'il tient à lui annoncer lui-même. Alors que toute la compagnie passe dans la salle à manger, le domestique Firmin introduit de nouveaux visiteurs : la baronne Duverger, mère de Viviane, qui désire que Lucette vienne chanter chez elle pour la signature du contrat de mariage de sa fille, et Bouzin, clerc de notaire et auteur de chansons, qui vient proposer le manuscrit d'une de ses œuvres (« Moi, j'pique des éping' »). Un superbe bouquet étant apporté, Bouzin ne résiste pas à la tentation d'y déposer sa carte. Tandis que la baronne indique qu'elle repassera, Bouzin repart de fort méchante humeur car on lui a fait dire que sa chanson était « stupide ». Lucette, Chenneviette, Fontanet et Bois-d'Enghien, de retour au salon, trouvent le bouquet dans lequel était glissé un écrin contenant une bague « rubis et diamants ». Tous croient que le cadeau vient de Bouzin, ce qui les conduit à juger de façon beaucoup plus clémente sa chanson. Bouzin est d'ailleurs de retour car il a oublié son parapluie : on le cajole et on lui demande d'aller rechercher son manuscrit. Resté seul avec Lucette, Bois-d'Enghien — qui signe le soir même son contrat de mariage — cherche à tout lui avouer, sans aucun succès. Il réussit seulement à révéler sa délicate situation à Chenneviette, lequel suggère de faire en sorte que Lucette se choisisse un protecteur, en l'occurrence le général Irrigua. Ce bouillant militaire sud-américain, au français plus que fantaisiste, arrive fort à propos, escorté de son aide de camp Antonio. Il vient faire sa cour à Lucette à qui il offre un bracelet destiné à compléter la bague contenue dans le bouquet. Pendant que Lucette reçoit la baronne dans la salle à manger, Bois-d'Enghien explique au général Irrigua que la jeune femme a pour amant Bouzin. Il a en effet compris que, pour conquérir celle qu'il aime, le général est décidé à tuer son rival ! De retour avec sa chanson, Bouzin doit ainsi faire face, ahuri, à la colère du militaire et à celle de Lucette qui le chasse sans ménagement.

Acte II

Dans la chambre à coucher de la baronne Duverger, Miss Betting, la gouvernante anglaise de Viviane, achève de préparer la jeune femme en vue de la signature du contrat. Viviane, en discutant avec sa mère, fait preuve d'un désarmant mélange de naïveté et d'effronterie. Elle se marie par conformisme social, son fiancé lui semblant bien fade alors qu'elle aurait souhaité épouser un « mauvais sujet », un séducteur. Bois-d'Enghien paraît et s'attache, à l'inverse, à se présenter comme un jeune homme moral qui n'a jamais eu de maîtresse. L'arrivée de Fontanet menace toutefois de révéler la supercherie car, maladroitement, il évoque la présence ce matin de Bois-d'Enghien chez « la divette ». Le fiancé pare au danger mais la situation se complique lorsque Lucette, accompagnée de Marceline et de Chenneviette, arrive pour donner son récital. Bois-d'Enghien n'a d'autre solution que de se cacher dans une armoire ! Quand il est contraint d'en sortir, il tente de faire partir Lucette en affirmant qu'il y a des courants d'air dans le salon où elle doit chanter. Mais ce stratagème échoue. Aidé par Chenneviette, Bois-d'Enghien invente alors tout un roman afin d'empêcher que les mots « futur », « gendre » et « fiancé » soient prononcés devant Lucette. Survient le général Irrigua que la chanteuse a invité à venir l'écouter. Il est suivi par Me Lantery, le notaire, accompagné par son clerc, Bouzin. Le début de la lecture du contrat dans le salon voisin conduit à révéler le véritable statut de Bois-d'Enghien : c'est lui qui se marie ! Lucette s'évanouit à cette nouvelle. Alors que Fontanet, décidément peu inspiré, apprend au général que Lucette a pour amant Bois-d'Enghien, ce dernier cherche à se justifier face à Lucette, revenue à elle. Il tente de l'amadouer mais la jeune femme, bien décidée à se venger, lui glisse dans le cou un épi de seigle (tiré d'un bouquet) afin de le contraindre à se déshabiller. Elle l'attire dans ses bras et s'arrange pour que tous les invités les découvrent dans cette posture compromettante. Le mariage est rompu.

Acte III

L'action a pour cadre le palier du deuxième étage de l'immeuble où habite Bois-d'Enghien. Le cabinet de toilette de l'appartement du jeune homme est visible des spectateurs. Il est dix heures du matin et Bois-d'Enghien rentre chez lui : faute d'avoir sa clé, oubliée chez la baronne Duverger, il a passé la nuit à l'hôtel et il est très agacé, a fortiori quand il est dérangé par des invités se rendant à un mariage (« la noce Brugnot ») qui a lieu au troisième étage. Bouzin vient apporter un exemplaire du contrat de mariage. Le général Irrigua arrive à son tour et, reconnaissant Bouzin, se met à le poursuivre pour le rosser. Lucette paraît : elle est venue renouer avec Bois-d'Enghien mais ce dernier n'en a aucune envie et il la renvoie assez brutalement. Un courant d'air fermant la porte du cabinet de toilette, Bois-d'Enghien se retrouve en caleçon sur le palier. La noce Brugnot, qui descend alors l'escalier pour se rendre à la mairie, est scandalisée par cette « exhibition » et menace de prévenir la police. Bois-d'Enghien conseille au général Irrigua, de retour, de piquer l'amour-propre de Lucette afin de la conquérir. Grâce au faux pistolet (en fait un éventail !) dont Lucette avait usé peu avant pour menacer de se suicider, il parvient ensuite à récupérer le pantalon et la veste de Bouzin, lequel est contraint de se réfugier dans les étages. Surviennent Viviane et Miss

Betting. La jeune fille est censée se rendre à son cours de chant et c'est donc en chantant qu'elle avoue à son ex-fiancé qu'elle le veut pour mari depuis qu'elle le sait « homme à femmes ». Elle a écrit à sa mère de la rejoindre et, lorsque la baronne paraît, cette dernière ne peut que céder au vœu de sa fille : Viviane épousera bien Bois-d'Enghien. Alors que tous les quatre entrent dans l'appartement pour sceller ce happy end, les agents de police appelés par la noce Brugnot redescendent du toit où ils ont intercepté Bouzin en caleçon. Le clerc est emmené au poste. Bois-d'Enghien en sera quitte pour aller le délivrer.

UN FIL À LA PATTE

DOSSIER

DU MÊME AUTEUR

Dans la même collection

LE DINDON. *Édition présentée et établie par Robert Abirached.*

LA DAME DE CHEZ MAXIM. *Édition présentée et établie par Michel Corvin.*

ON PURGE BÉBÉ ! *Édition présentée et établie par Michel Corvin.*

COLLECTION FOLIO THÉÂTRE

1. Pierre CORNEILLE : *Le Cid*. Édition présentée et établie par Jean Serroy.
2. Jules ROMAINS : *Knock*. Édition présentée et établie par Annie Angremy.
3. MOLIÈRE : *L'Avare*. Édition présentée et établie par Jacques Chupeau.
4. Eugène IONESCO : *La Cantatrice chauve*. Édition présentée et établie par Emmanuel Jacquart.
5. Nathalie SARRAUTE : *Le Silence*. Édition présentée et établie par Arnaud Rykner.
6. Albert CAMUS : *Caligula*. Édition présentée et établie par Pierre-Louis Rey.
7. Paul CLAUDEL : *L'Annonce faite à Marie*. Édition présentée et établie par Michel Autrand.
8. William SHAKESPEARE : *Le Roi Lear*. Édition de Gisèle Venet. Traduction nouvelle de Jean-Michel Déprats.
9. MARIVAUX : *Le Jeu de l'amour et du hasard*. Préface de Catherine Naugrette-Christophe. Édition de Jean-Paul Sermain.
10. Pierre CORNEILLE : *Cinna*. Édition présentée et établie par Georges Forestier.
11. Eugène IONESCO : *La Leçon*. Édition présentée et établie par Emmanuel Jacquart.
12. Alfred de MUSSET : *On ne badine pas avec l'amour*. Édition présentée et établie par Simon Jeune.
13. Jean RACINE : *Andromaque*. Préface de Raymond Picard. Édition de Jean-Pierre Collinet.
14. Jean COCTEAU : *Les Parents terribles*. Édition présentée et établie par Jean Touzot.
15. Jean RACINE : *Bérénice*. Édition présentée et établie par Richard Parish.

16. Pierre CORNEILLE : *Horace.* Édition présentée et établie par Jean-Pierre Chauveau.

17. Paul CLAUDEL : *Partage de Midi.* Édition présentée et établie par Gérald Antoine.

18. Albert CAMUS : *Le Malentendu.* Édition présentée et établie par Pierre Louis Rey.

19. William SHAKESPEARE : *Jules César.* Préface et traduction d'Yves Bonnefoy.

20. Victor HUGO : *Hernani.* Édition présentée et établie par Yves Gohin.

21. Ivan TOURGUÉNIEV : *Un mois à la campagne.* Édition de Françoise Flamant. Traduction de Denis Roche.

22. Eugène LABICHE : *Brûlons Voltaire!* précédé de *Un monsieur qui a brûlé une dame, La Dame aux jambes d'azur, L'Amour, un fort volume, prix 3F 50C, La Main leste, Le Cachemire X. B. T.* Édition présentée et établie par Olivier Barrot et Raymond Chirat.

23. Jean RACINE : *Phèdre.* Édition présentée et établie par Christian Delmas et Georges Forestier.

24. Jean RACINE : *Bajazet.* Édition présentée et établie par Christian Delmas.

25. Jean RACINE : *Britannicus.* Édition présentée et établie par Georges Forestier.

26. GOETHE : *Faust.* Préface de Claude David. Traduction nouvelle de Jean Amsler. Notes de Pierre Grappin.

27. William SHAKESPEARE : *Tout est bien qui finit bien.* Édition de Gisèle Venet. Traduction nouvelle de Jean-Michel Déprats et Jean-Pierre Vincent.

28. MOLIÈRE : *Le Misanthrope.* Édition présentée et établie par Jacques Chupeau.

29. BEAUMARCHAIS : *Le Barbier de Séville.* Édition présentée et établie par Françoise Bagot et Michel Kail.

30. BEAUMARCHAIS : *Le Mariage de Figaro.* Édition présentée et établie par Françoise Bagot et Michel Kail.

31. Richard WAGNER : *Tristan et Isolde.* Préface de Pierre

Boulez. Traduction nouvelle d'André Miquel. Édition bilingue.

32. Eugène IONESCO : *Les Chaises.* Édition présentée et établie par Michel Lioure.
33. William SHAKESPEARE : *Le Conte d'hiver.* Préface et traduction d'Yves Bonnefoy.
34. Pierre CORNEILLE : *Polyeucte.* Édition présentée et établie par Patrick Dandrey.
35. Jacques AUDIBERTI : *Le mal court.* Édition présentée et établie par Jeanyves Guérin.
36. Pedro CALDERÓN DE LA BARCA : *La vie est un songe.* Traduction nouvelle et notes de Lucien Dupuis. Préface et dossier de Marc Vitse.
37. Victor HUGO : *Ruy Blas.* Édition présentée et établie par Patrick Berthier.
38. MOLIÈRE : *Le Tartuffe.* Édition présentée et établie par Jean Serroy.
39. MARIVAUX : *Les Fausses Confidences.* Édition présentée et établie par Michel Gilot.
40. Hugo von HOFMANNSTHAL : *Le Chevalier à la rose.* Édition de Jacques Le Rider. Traduction de Jacqueline Verdeaux.
41. Paul CLAUDEL : *Le Soulier de satin.* Édition présentée et établie par Michel Autrand.
42. Eugène IONESCO : *Le Roi se meurt.* Édition présentée et établie par Gilles Ernst.
43. William SHAKESPEARE : *La Tempête.* Préface et traduction nouvelle d'Yves Bonnefoy. Édition bilingue.
44. William SHAKESPEARE : *Richard II.* Édition de Margaret Jones-Davies. Traduction nouvelle de Jean-Michel Déprats. Édition bilingue.
45. MOLIÈRE : *Les Précieuses ridicules.* Édition présentée et établie par Jacques Chupeau.
46. MARIVAUX : *Le Triomphe de l'amour.* Édition présentée et établie par Henri Coulet.
47. MOLIÈRE : *Dom Juan.* Édition présentée et établie par Georges Couton.

48. MOLIÈRE : *Le Bourgeois gentilhomme.* Édition présentée et établie par Jean Serroy.
49. Luigi PIRANDELLO : *Henri IV.* Édition de Robert Abirached. Traduction de Michel Arnaud.
50. Jean COCTEAU : *Bacchus.* Édition présentée et établie par Jean Touzot.
51. John FORD : *Dommage que ce soit une putain.* Édition de Gisèle Venet. Traduction nouvelle de Jean-Michel Déprats.
52. Albert CAMUS : *L'État de siège.* Édition présentée et établie par Pierre- Louis Rey.
53. Eugène IONESCO : *Rhinocéros.* Édition présentée et établie par Emmanuel Jacquart.
54. Jean RACINE : *Iphigénie.* Édition présentée et établie par Georges Forestier.
55. Jean GENET : *Les Bonnes.* Édition présentée et établie par Michel Corvin.
56. Jean RACINE : *Mithridate.* Édition présentée et établie par Georges Forestier.
57. Jean RACINE : *Athalie.* Édition présentée et établie par Georges Forestier.
58. Pierre CORNEILLE : *Suréna.* Édition présentée et établie par Jean-Pierre Chauveau.
59. William SHAKESPEARE : *Henry V.* Édition de Gisèle Venet. Traduction nouvelle de Jean-Michel Déprats. Édition bilingue.
60. Nathalie SARRAUTE : *Pour un oui ou pour un non.* Édition présentée et établie par Arnaud Rykner.
61. William SHAKESPEARE : *Antoine et Cléopâtre.* Préface et traduction nouvelle d'Yves Bonnefoy. Édition bilingue.
62. Roger VITRAC : *Victor ou les enfants au pouvoir.* Édition présentée et établie par Marie-Claude Hubert.
63. Nathalie SARRAUTE : *C'est beau.* Édition présentée et établie par Arnaud Rykner.
64. Pierre CORNEILLE : *Le Menteur. La Suite du Menteur.* Édition présentée et établie par Jean Serroy.

65. MARIVAUX : *La Double Inconstance.* Édition présentée et établie par Françoise Rubellin.
66. Nathalie SARRAUTE : *Elle est là.* Édition présentée et établie par Arnaud Rykner.
67. Oscar WILDE : *L'Éventail de Lady Windermere.* Édition de Gisèle Venet. Traduction de Jean-Michel Déprats.
68. Eugène IONESCO : *Victimes du devoir.* Édition présentée et établie par Gilles Ernst.
69. Jean GENET : *Les Paravents.* Édition présentée et établie par Michel Corvin.
70. William SHAKESPEARE : *Othello.* Préface et traduction nouvelle d'Yves Bonnefoy. Édition bilingue.
71. Georges FEYDEAU : *Le Dindon.* Édition présentée et établie par Robert Abirached.
72. Alfred de VIGNY : *Chatterton.* Édition présentée et établie par Pierre-Louis Rey.
73. Alfred de MUSSET : *Les Caprices de Marianne.* Édition présentée et établie par Frank Lestringant.
74. Jean GENET : *Le Balcon.* Édition présentée et établie par Michel Corvin.
75. Alexandre DUMAS : *Antony.* Édition présentée et établie par Pierre-Louis Rey.
76. MOLIÈRE : *L'Étourdi.* Édition présentée et établie par Patrick Dandrey.
77. Arthur ADAMOV : *La Parodie.* Édition présentée et établie par Marie-Claude Hubert.
78. Eugène LABICHE : *Le Voyage de Monsieur Perrichon.* Édition présentée et établie par Bernard Masson.
79. Michel de GHELDERODE : *La Balade du Grand Macabre.* Préface de Guy Goffette. Édition de Jacqueline Blancart-Cassou.
80. Alain-René LESAGE : *Turcaret.* Édition présentée et établie par Pierre Frantz.
81. William SHAKESPEARE : *Le Songe d'une nuit d'été.* Édition de Gisèle Venet. Traduction de Jean-Michel Déprats. Édition bilingue.

82. Eugène IONESCO : *Tueur sans gages.* Édition présentée et établie par Gilles Ernst.
83. MARIVAUX : *L'Épreuve.* Édition présentée et établie par Henri Coulet.
84. Alfred de MUSSET : *Fantasio.* Édition présentée et établie par Frank Lestringant.
85. Friedrich von SCHILLER : *Don Carlos.* Édition de Jean-Louis Backès. Traduction de Xavier Marmier, revue par Jean-Louis Backès.
86. William SHAKESPEARE : *Hamlet.* Édition de Gisèle Venet. Traduction de Jean-Michel Déprats. Édition bilingue.
87. Roland DUBILLARD : *Naïves hirondelles.* Édition présentée et établie par Michel Corvin.
88. Édouard BOURDET : *Vient de paraître.* Édition présentée et établie par Olivier Barrot et Raymond Chirat.
89. Pierre CORNEILLE : *Rodogune.* Édition présentée et établie par Jean Serroy.
90. MOLIÈRE : *Sganarelle.* Édition présentée et établie par Patrick Dandrey.
91. Michel de GHELDERODE : *Escurial* suivi de *Hop signor !.* Édition présentée et établie par Jacqueline Blancart-Cassou.
92. MOLIÈRE : *Les Fâcheux.* Édition présentée et établie par Jean Serroy.
93. Paul CLAUDEL : *Le Livre de Christophe Colomb.* Édition présentée et établie par Michel Lioure.
94. Jean GENET : *Les Nègres.* Édition présentée et établie par Michel Corvin.
95. Nathalie SARRAUTE : *Le Mensonge.* Édition présentée et établie par Arnaud Rykner.
96. Paul CLAUDEL : *Tête d'Or.* Édition présentée et établie par Michel Lioure.
97. MARIVAUX : *La Surprise de l'amour* suivi de *La Seconde Surprise de l'amour.* Édition présentée et établie par Henri Coulet.

98. Jean GENET : *Haute surveillance.* Édition présentée et établie par Michel Corvin.
99. LESSING : *Nathan le Sage.* Édition et traduction nouvelle de Dominique Lurcel.
100. Henry de MONTHERLANT : *La Reine morte.* Édition présentée et établie par Marie-Claude Hubert.
101. Pierre CORNEILLE : *La Place Royale.* Édition présentée et établie par Jean Serroy.
102. Luigi PIRANDELLO : *Chacun à sa manière.* Édition de Mario Fusco. Traduction de Michel Arnaud.
103. Jean RACINE : *Les Plaideurs.* Édition présentée et établie par Georges Forestier.
104. Jean RACINE : *Esther.* Édition présentée et établie par Georges Forestier.
105. Jean ANOUILH : *Le Voyageur sans bagage.* Édition présentée et établie par Bernard Beugnot.
106. Robert GARNIER : *Les Juives.* Édition présentée et établie par Michel Jeanneret.
107. Alexandre OSTROVSKI : *L'Orage.* Édition et traduction nouvelle de Françoise Flamant.
108. Nathalie SARRAUTE : *Isma.* Édition présentée et établie par Arnaud Rykner.
109. Victor HUGO : *Lucrèce Borgia.* Édition présentée et établie par Clélia Anfray.
110. Jean ANOUILH : *La Sauvage.* Édition présentée et établie par Bernard Beugnot.
111. Albert CAMUS : *Les Justes.* Édition présentée et établie par Pierre-Louis Rey.
112. Alfred de MUSSET : *Lorenzaccio.* Édition présentée et établie par Bertrand Marchal.
113. MARIVAUX : *Les Sincères* suivi de *Les Acteurs de bonne foi.* Édition présentée et établie par Henri Coulet.
114. Eugène IONESCO : *Jacques ou la Soumission* suivi de *L'avenir est dans les œufs.* Édition présentée et établie par Marie-Claude Hubert.

115. Marguerite DURAS : *Le Square.* Édition présentée et établie par Arnaud Rykner.

116. William SHAKESPEARE : *Le Marchand de Venise.* Édition de Gisèle Venet. Traduction de Jean-Michel Déprats. Édition bilingue.

117. Valère NOVARINA : *L'Acte inconnu.* Édition présentée et établie par Michel Corvin.

118. Pierre CORNEILLE : *Nicomède.* Édition présentée et établie par Jean Serroy.

119. Jean GENET : *Le Bagne.* Préface de Michel Corvin. Édition de Michel Corvin et Albert Dichy.

120. Eugène LABICHE : *Un chapeau de paille d'Italie.* Édition présentée et établie par Robert Abirached.

121. Eugène IONESCO : *Macbett.* Édition présentée et établie par Marie-Claude Hubert.

122. Victor HUGO : *Le Roi s'amuse.* Édition présentée et établie par Clélia Anfray.

123. Albert CAMUS : *Les Possédés* (adaptation du roman de Dostoïevski). Édition présentée et établie par Pierre-Louis Rey.

124. Jean ANOUILH : *Becket ou l'Honneur de Dieu.* Édition présentée et établie par Bernard Beugnot.

125. Alfred de MUSSET : *On ne badine pas avec l'amour.* Édition présentée et établie par Bertrand Marchal.

126. Alfred de MUSSET : *La Nuit vénitienne. Le Chandelier. Un caprice. Il faut qu'une porte soit ouverte ou fermée.* Édition présentée et établie par Frank Lestringant.

127. Jean GENET : *Splendid's* suivi de *« Elle ».* Édition présentée et établie par Michel Corvin.

128. Alfred de MUSSET : *Il ne faut jurer de rien* suivi de *On ne saurait penser à tout.* Édition présentée et établie par Sylvain Ledda.

129. Jean RACINE : *La Thébaïde ou les Frères ennemis.* Édition présentée et établie par Georges Forestier.

130. Georg BÜCHNER : *Woyzeck.* Édition de Patrice Pavis.

Traduction de Philippe Ivernel et Patrice Pavis. Édition bilingue.

131. Paul CLAUDEL : *L'Échange.* Édition présentée et établie par Michel Lioure.
132. SOPHOCLE : *Antigone.* Préface de Jean-Louis Backès. Traduction de Jean Grosjean. Notes de Raphaël Dreyfus.
133. Antonin ARTAUD : *Les Cenci.* Édition présentée et établie par Michel Corvin.
134. Georges FEYDEAU : *La Dame de chez Maxim.* Édition présentée et établie par Michel Corvin.
135. LOPE DE VEGA : *Le Chien du jardinier.* Traduction et édition de Frédéric Serralta.
136. Arthur ADAMOV : *Le Ping-Pong.* Édition présentée et établie par Gilles Ernst.
137. Marguerite DURAS : *Des journées entières dans les arbres.* Édition présentée et établie par Arnaud Rykner.
138. Denis DIDEROT : *Est-il bon ? Est-il méchant ?.* Édition présentée et établie par Pierre Frantz.
139. Valère NOVARINA : *L'Opérette imaginaire.* Édition présentée et établie par Michel Corvin.
140. James JOYCE : *Exils.* Édition de Jean-Michel Rabaté. Traduction de Jean-Michel Déprats.
141. Georges FEYDEAU : *On purge Bébé !.* Édition présentée et établie par Michel Corvin.
142. Jean ANOUILH : *L'Invitation au château.* Édition présentée et établie par Bernard Beugnot.
143. Oscar WILDE : *L'Importance d'être constant.* Édition d'Alain Jumeau. Traduction de Jean-Michel Déprats.
144. Henrik IBSEN : *Une maison de poupée.* Édition et traduction de Régis Boyer.

Composition Rosa Beaumont
Impression Novoprint
à Barcelone, le 2 octobre 2014
Dépôt légal : octobre 2014
1er dépôt légal : mars 2013

ISBN 978-2-07-044474-8./Imprimé en Espagne.